TE YN Y GRUG

gan

KATE ROBERTS

gwasg gee

Argraffiad cyntaf 1959
Ail argraffiad 1965
Trydydd argraffiad 1974
Pedwerydd argraffiad 1981
Pumed argraffiad 1985
Chweched argraffiad 1987
Seithfed argraffiad 1996
Wythfed argraffiad 2002
Nawfed argraffiad 2004

ISBN: 1 904554 01 6

Argraffwyd gan Wasg Gomer, Llandysul
Cyhoeddwyd gan Wasg Gee (Cyhoeddwyr) Cyf., Bethesda
www.gwasggee.com

I'r Athro a Mrs. G. J. Williams

y cyflwynaf y gyfrol hon

o barch mawr

Dymunaf ddiolch i Urdd Gobaith Cymru am gael eu caniatâd i gyhoeddi'r stori *Gofid* a ymddangosodd yn *Y Llinyn Arian,* hefyd i'r Gorfforaeth Ddarlledu Brydeinig a Mr. Aneirin Talfan Davies, M.A., am *Y Pistyll* a gyhoeddwyd yn *Llafar*, ac i gwmni'r *Faner* am gael cyhoeddi *Dianc i Lundain.*

Chwefror 1959 K.R.

CYNNWYS

Gofid

Eisteddai Begw ar stôl o flaen y tân, a'i chefn, i'r neb a edrychai arno, yn dangos holl drychineb y bore. Cyffyrddai ymylon ei siôl dair onglog â'r llawr, a'r llawr yn llawn o byllau mân yn disgyn oddi wrth facsiau eira ag ôl pedolau clocsiau ynddynt. Heddiw, yn wahanol i arfer, yr oedd ei gwallt yn flêr, a hongiai'n gynhinion di-drefn ar ei hysgwydd. Am ryw reswm na wyddai Begw, ni phlethasai ei mam ei gwallt neithiwr. Yr oedd hynny'n beth braf, oblegid byddai ei mam yn tynnu ei gwallt bron o'r gwraidd wrth ei blethu, gyda holl wydnwch ei breichiau a holl rym y dymer y byddai ynddi. Byddai ei phen yn ysu am oriau ar ôl y driniaeth, ond byddai'n braf yn y bore, ar ôl datod y plethi, gael teimlo'r trwch tonnog yn disgyn heibio i'w chlustiau ac ar ei gwddf. Chwythai'r gwynt oer o dan y drysau gan chwythu rhidens y siôl a mynd dan ei thrywsus pais, ond âi gwres y tân at ei phen.

O fewn pedair blynedd ei phrofiad ar y ddaear dyma'r diwrnod mwyaf digalon a gawsai Begw erioed – diwrnod du, diobaith er bod pob man yn wyn. Cronnai ei hanadl wrth geisio dal ei hocheneidiau'n ôl. Yr oedd arni ofn cael drwg gan ei mam, fel y câi bob amser am ddal i grio. Ond daeth llais ei mam yn fwynach nag arfer y tro hwn.

'Dyna chdi rŵan. Waeth befo hi. Dim ond cath oedd hi. Beth tasai ti wedi colli dy fam?'

Torrodd yr argae wedyn. Ar y funud buasai'n well

ganddi hi golli ei mam na cholli Sgiatan. Yr oedd Sgiatan yn ffeind bob amser a'i mam ddim ond ambell dro. Daeth yr hyn a welsai hanner awr yn gynt i'w meddwl yn ei holl fanylion a'i gorchfygu eto. Wrth godi'r bore hwnnw, edrychasai Begw ymlaen at ddiwrnod-gwahanol-i-arfer, am fod yr eira mawr hyd y ddaear, un o'r dyddiau hynny pan gâi dynnu'r llyfr â'r lluniau ofnadwy a'i roi ar y setl, un o'r dyddiau pan gâi wisgo ei hesgidiau gorau, diwrnod tebyg i'r un pan gafodd wlanen a saim gŵydd am ei gwddf a chael brechdan grasu â dŵr a siwgr a sunsur arni, un o'r dyddiau pan eisteddai ei mam wrth y tân i adrodd stori wrthi. Paratoad i'r diwrnod-gwahanol-i-arfer oedd peidio â chael plethu ei gwallt y noson gynt. Parhad o hyn oedd cael gwisgo amdani cyn ei 'molchi a tharo siôl drosti.

Pan gododd, nid oedd Sgiatan o gwmpas yn unlle, ac er gweiddi 'Pws, Pws', ni ddaeth o unman. Toc, mentrodd agor y drws cefn a dyna lle'r oedd Sgiatan – nid ar garreg y drws yn codi ei chynffon ac yn barod i'w rhwbio ei hun yn ei choesau, ond yn gorwedd mewn crwc o ddŵr, ei phedair coes wedi ymestyn allan fel y byddent weithiau ar fatyn yr aelwyd, ond ei dannedd yn ysgyrnygu fel yr hen anifail hyll hwnnw yn y 'Drysorfa'r Plant', a'i blew, ei blew melfed, fel hen falwen seimllyd ar lwybr yr ardd, â'i llygaid mor llonydd a rhythlyd â llygaid gwydr ei dol. Ni allai gredu ei bod yn bosibl i Sgiatan, a ganai'r grwndi efo hi cyn iddi fynd i'r gwely neithiwr a wincio arni oddi ar y stôl haearn, fod wedi – . Ni allai ddweud y gair. Yr oedd yn rhy ofnadwy. Ie, ond wedi marw yr oedd, nid oedd yn rhaid i neb ddweud wrthi mai dyma beth oedd marw. Yr oedd hi fel y llygoden a aeth i'r trap.

'Cau'r drws yna, a thyrd i'r tŷ, mae hi'n oer.'

Ei mam yn galw arni, ond sut yr oedd yn bosibl dyfod i'r tŷ. Llygad-dynnid hi at y corff marw. Yr oedd arni ei ofn ac yr oedd arni eisiau rhedeg oddi wrtho, ond hoelid hi wrth y ddaear i edrych arno. Tywynnai'r haul yn danbaid ar wynder yr eira, a disgynnai'r dafnau parhaus oddi ar y bondo ar ei phen. Yr oedd mwclis gwydr yr eira yn estyn crafangau hir allan i dynnu'r dŵr o'i llygaid a'i llygaid bron â mynd ar ôl y dagrau. Ond ni fedrai symud. Pan ddaeth llais ei mam yr eildro, caeodd y drws a thu ôl i'w dywyllwch y teimlodd bang gyntaf y cau drysau a fu yn ei bywyd wedyn.

Ei bwriad cyntaf oedd mynd yn ôl i'w gwely er mwyn cael crio'n iawn a rhoi ei phen o dan y dillad. Pe rhoddai ei phen o dan y dillad a chau ei llygaid, byddai yno dywyllwch a dim byd ac ni fedrai weld Sgiatan yn ysgyrnygu ei dannedd.

' 'D wyt ti ddim i fynd i'r siamber yna yn dy glocsiau.'

O, diar, yr oedd bywyd yn galed. ' 'D wyt ti ddim i wneud hyn, 'dwyt ti ddim i wneud y llall.' A dim Sgiatan i rwbio'i phen yn ei choesau. Aeth at y tân o lech i lwyn, eistedd ar y stôl a beichio crio.

'Taw â chlegar,' oddi wrth ei thad. Clegar – clegar – hen air hyll. Ei thad yn defnyddio hen air fel yna a Sgiatan wedi – wedi – marw!

Cododd i nôl ei doli bren a lapiodd ei siôl amdani.

Criodd gymaint am ei phen nes y rhedodd y paent ac i'w cheg. Ceisiai ei swatio yn ei chesail,ond sut oedd modd magu hen beth caled felly ar ôl magu peth mor esmwyth â Sgiatan a edrychai mor ddigri â'i phen allan o'r siôl? Wrth gofio hynny wedyn, taflodd y ddol i lygad y tân. Buasai wrth ei bodd yn ei gweld yn fflamio – y ddol yn cael mynd i'r "tân marw" ac nid Begw – y hi a'i hen wyneb paent, hyll. Cipiodd ei mam hi o'r fflamau ond nid cyn rhoi clustan iawn i'w merch. Aeth y crio'n sgrechian.

'Wel, wir, 'd wn i ddim beth wna i efo'r plentyn yma.'

'Eisiau chwip din iawn sydd arni,' meddai ei thad.

'Mi allasach chitha feddwl ddwywaith cyn boddi'r gath. 'D wn i ddim beth ydi rhyw ysfa rhoi cath mewn bwced sydd ynoch chi o hyd, cyn gynted ag y gwnaiff hi rywbeth.'

Felly ei thad a wnaeth. Cododd Begw ac aeth i ben y soffa ac edrych allan. Yr oedd y ddaear i gyd yn fwclis, a'r coed yn estyn bysedd hirion, gwynion tuag atynt. Swatiai'r ieir yng nghornel yr ardd â'u pennau yn eu plu, yr un fath yn union ag y stwffiai hithau ei phen i'w bwa blewog yn y capel ar fore Sul oer. Yr oedd hen Jac Do mawr du yn pigo asgwrn yn yr eira a lot o adar gwynion fel gwyddau ymhobman. Ar hyd pen y clawdd yr oedd cris-croes ôl traed yr ieir. Rhedai ei llygaid ar ôl yr eira yn bell bell. Yr oedd fel crempog fawr a lot o dyllau ynddi a chyllell ddur las rhyngddi a Sir Fôn. Ond yr oedd ei phen yn troi wrth edrych arni ac yr oedd ei llygaid am ddyfod allan o'i phen o hyd. Dechreuodd y grempog godi rownd ei hymyl a chychwyn tuag ati. Syrthiodd Begw ac ni wyddai ddim wedyn ond ei bod ar lin ei mam, ei phen yn gorwedd ar wlanen arw ei bodis, a'r gadair yn siglo ôl a blaen, blaen ac ôl. Agorodd Begw fotymau'r bodis, a rhoes ei llaw oer ar fron gynnes ei mam. Gyda chil ei llygad gallai weled ei thad ac wrth ei gysylltu â'i gofid caeodd ei llygaid yn sydyn, a thoc aeth i gysgu.

Gwenai'r hen ddoli nain drwy ei sbectol o'r cwpwrdd gwydr ar y tri, daliai'r llong ar ben y cloc i daro ei gwegil yn y môr ar un ochr ac i foesymgrymu i'r môr yr ochr arall, ac edrychai'r pregethwr yn sarrug iawn o'i ffrâm ar y pared.

Y noson honno, deffroes Begw yn ei gwely rywdro yng nghanol y nos fawr. Agorodd ei llygaid ar y blanced ddu o dywyllwch. Ni allai ddweud ym mha le'r oedd y ffenestr na'r drws. Rhaid ei bod ymhell ar y nos, oblegid ni ddeuai golau'r tân i mewn drwy ddrws y siamber. Ni chlywai Begw ddim ond sŵn anadl ei mam – 'pw – pw' o hyd. Ond yn sydyn o'r tywyllwch dyma rhywbeth yn neidio o'r llawr ar y gwely ac yn ôl drachefn yr un mor sydyn. Cyffyrddodd eiliad â bodiau ei thraed ac yna diflannodd i'r distawrwydd. Sgiatan wedi dŵad yn ôl, meddyliai Begw wrthi hi ei hun. Ond er holi a holi drannoeth, ni chafodd eglurhad ar y mater, dim ond pawb yn gwneud hwyl am ei phen a gwrthod ei chredu, 'am ei bod yn dychmygu pethau.'

Y Pistyll

Safai Begw ar ffon isaf y llidiart gan afael yn y ffyn syth a'i siglo ei hun ôl a blaen ac edrych allan i'r ffordd. Buasai ei libart yn gyfyng iawn ers mis o amser, gwely, salwch a chegin. Heddiw yr oedd yn helaethach o beth, cafodd ddyfod allan i'r cowrt ac edrych ar y lôn. Yr oedd arni eisiau gweld a gweld, gweld y lôn ar ei hyd, y siop a'r capel, y pethau cynefin a oedd yn newydd eto. Rhôi ei thrwyn rhwng ffyn y llidiart gan feddwl yr âi ei hwyneb drwodd, ond yr oedd yn rhy gul. Yr oedd yn rhaid iddi edrych ar glwt sgwâr o'i blaen, ac yr oedd hwnnw fel pictiwr mewn ffrâm, y pistyll na ddistawodd am eiliad yr holl amser y bu yn ei gwely, heddiw yn ei ffrâm werdd o eithin, yn taflu ei fwa o ddŵr yn dawel i'r pwll, a hwnnw yn ei dderbyn gyda sŵn undonog fel sŵn adrodd a âi ymlaen ac ymlaen am byth bythoedd. Pan welsai hi'r pistyll ddiwethaf deuai'r dŵr drosodd fel ceffyl gwyn yn neidio ac yn gwehyru, y sŵn yn byddaru'r tai, a'r pwll yn maeddu poer yn gylchoedd wrth ei dderbyn. Wil y Fedw wedi dyfod yno efo iâr eisiau gori a'i dal gerfydd ei thraed a'i phen i lawr o dan y pistyll, a hithau'n crio wrth weld ei greulondeb. Wil wedyn yn rhoi ewyn y pistyll ar ei wyneb a'i wneud ei hun fel hen ddyn â barf wen o gwmpas ei ên i'w dychryn yn rhagor..... Cyffiodd ei choesau wrth sefyll ar y llidiart, ac nid oedd ei gafael ar y ffyn yn rhy dynn.

Tybed a ddôi Mair drws nesa' allan i chwarae? Troes

ei phen i gyfeiriad y tŷ, ond nid oedd dim ond distawrwydd a drws caead yn y fan honno. Yr oedd yn braf bod allan yn lle bod yn y gwely, ond nid oedd yn braf bod yn llonydd ychwaith. Buasai'n llonydd cŷd mewn siamber glòs, yn taflu i fyny o hyd, ac ofn arni i'w mam ei gadael am eiliad. Ceisiai ei gorau i beidio â thaflu i fyny, ond fe ddôi heb iddi feddwl fel y pistyll yn y lôn, a'i mam yn rhedeg i roi ei llaw gref ar ei thalcen.

'Dyna fo, mi fydd drosodd mewn dau funud.'

' 'T ydw i ddim yn treio bod yn sâl, nag ydw wir.'

'Nag wyt, siŵr iawn.'

'A finna wedi meddwl bod yn well erbyn i nhad ddŵad adra o chwaral.'

'A mi fyddi di hefyd gei di weld. Ust, gwrando. Dyma fo ar y gair.'

'A sut mae Begw heno?'

'Newydd gael pwl eto,' ebe'r fam yn ddistaw.

'Hitia di befo, Begw. Mi fyddi di'n well o lawer wedi cael gwared o'r hen beth.'

'Llymad o'r dŵr yna iddi, Wiliam.'

'Dyma chdi yli, mi wneith hwn olchi dy wddw di.'

'Ych. Hen flas sur!'

'Mi wna i frechdan grasu iti toc i hel o i ffwrdd.'

'Ella mai yn i hôl y daw honno wedyn,' ebe Begw'n fwy llawen.

'Dim ods. Mi arhosith i lawr rywdro, dim ond treio ddigon amal.'

Yr oedd ganddi biti dros ei thad yn sefyll yn fanno heb dynnu ei dun bwyd o'i boced, ôl ei het yn rhimyn coch ar ei dalcen a golwg wedi blino arno.

Yr oedd hynyna i gyd drosodd. Nid oedd arni ofn i'w mam fynd o'i golwg bellach, ac nid oedd ganddi biti dros neb. Cerddodd yn araf hyd y llwybr gan dynnu ei llaw ar hyd cerrig y wal, er mwyn teimlo garwedd y cymrwd ar ei bysedd. Ar y gongl rhwng y wal hon a'r wal arall yr oedd carreg fawr lefn. Dim ond iddi fynd i ben y garreg gallai ddisgyn yn hawdd i ardd y drws nesa'. Rhoes flaen ei chlocsen yn ofalus mewn twll yn y wal, a gallodd ei chodi ei hun ar y garreg lefn a llithro drosti i ardd y drws nesa'. Yr oedd y garreg yn gynnes oddi wrth y haul, a theimlad braf oedd i ddarn noeth o'i chlun gyffwrdd â hi. Ond O! yr oedd wedi disgyn ar lwyn riwbob Mrs. Huws a thorrodd un coesyn o hwnnw yn gratsien dan ei throed. Yr oedd y sŵn hwnnw yn sŵn braf hefyd, mor braf fel y daeth rhyw ddiawl bach iddi a gwneud iddi dorri coesyn arall ac un arall. Y munud nesaf daeth ofn arni. Beth os gwelsai Mrs. Huws hi, câi dafod iawn ganddi, os na thoddai ei chalon wrth weld ei choesau tenau. Ni allai fynd yn ôl i'w libart ei hun, yr oedd y naid yn rhy uchel. Eisteddodd ar y garreg lefn i edrych ar ardd ei chymdogion. Yr oedd fel pictiwr efo'i briallu coch a gwyn, ac ymyl o flodau bach piws i'r llwybrau – miloedd ohonynt yn glòs yn ei gilydd yn glystyrau tew fel côr ar lwyfan, yn ei dallu â'u disgleirdeb. Nid oedd ganddynt hwy flodau fel hyn, ond byddai ei thad yn dweud nad oedd gan bregethwr ddim byd i'w wneud trwy'r dydd ond trin ei ardd. Teimlai'n gysurus yn yr haul, ei chorff yn ysgafn a'i dillad yn llac amdani, ei siôl yn ei lapio yn gynnes a'i gwallt yn glyd odani o gwmpas ei gwddf.

Penderfynodd fynd i'r lôn trwy lidiart y drws nesa', ac os deuai Mrs. Huws i gyfarfod â hi, gallai ddweud mai dyfod i alw ar Mair yr oedd. Ond ni ddaeth neb, a phan ddaeth gyferbyn â'r drws cefn, penderfynodd fynd ato a chnocio. Ond cyn rhoi'r gnoc clywodd lais y pregethwr yn dweud gras bwyd, rhedodd yn ôl am ei bywyd a thrwy'r llidiart ac i'w libart ei hun. Yr oedd yn gas ar Mair debygai Begw, ei thad yn dweud gras bwyd ac yn tyfu barf. Clywsai ei mam yn dweud yn un o'r pyliau hynny a gâi o refru ar bawb, ac ar Mrs. Huws drws nesa' yn arbennig, mai ei wraig a wnâi i Mr. Huws adael i'w farf dyfu i arbed talu am ei dorri o.

Ac yn ôl i'w thŷ ei hun, lle'r oedd aroglau cynnes smwddio yn cyfarfod â hi wrth ddrws y gegin, a'i mam ar ei gliniau wrth y tân yn rowlio coleri startsh o amgylch ei dau fys a'u rhoi ar y diogyn o flaen y tân i galedu, a hwythau fel torchau nadroedd yn y fan honno. Rhoesai ei mam sbectol i archwilio ei gwaith smwddio, a deuai'r haul trwy'r drws a dangos y blew gwynion yn ei gwallt.

'Wel, be welaist ti?'

'Gardd drws nesa.'

'Y? Fuost ti 'rioed yn fanno?'

'Do. A mi 'r ydw i wedi torri coesau riwbob Mrs. Huws.'

'Tendia di iddi gael gafael arnat ti.'

'Tw, welodd hi mona i.'

' 'D wn i ddim wir, mae gynni hi lygad yn nhu ôl i

phen.'

'Ond mi 'r oeddan 'nhw'n byta. Mi glywais i Mr. Huws yn deud – 'trwy Iesu Grist. Amen.'

'Do, mi wn, mae'u diolch nhw yn hwy na'u pryd bwyd nhw.'

Wrth glywed am y llygad tu ôl i'w phen, daeth rhywbeth yn ôl i Begw rhag ei gwaethaf – rhywbeth y bu am fisoedd maith yn ceisio ei anghofio. Yr oedd i fod i fynd i drws nesa' ar gais Mrs. Huws i chwarae efo Mair ar ddiwrnod gwlyb a Mair dan annwyd. Yr oedd hynny fisoedd yn ôl. Yn ei mawr awydd i gael mynd i dŷ'r pregethwr, aeth yno yn gynt na'i hamser, a hwythau ar ganol eu cinio, heb ddechrau ar eu pwdin. Dyma Mrs. Huws yn rhoi pwdin ar blât iddi, a gwneud iddi eistedd ar stôl drithroed o flaen y setl a'i fwyta yn y fan honno, â'i chefn at y bwrdd a'r teulu. Teimlai fod llygaid Mrs. Huws yn dyfod trwy ei gwegil at y plât a'r darten gwsberis. Gallai weld y llefrith wedi cawsio ar y darten o'i blaen o hyd. Mor anhapus y teimlai wrth roi pob llwyaid yn ei cheg wrth feddwl ei bod wedi mynd yno yn rhy fuan. Ond rhoesai ei mam olwg arall ar bethau wedi iddi fynd adre.

'T ydw i ddim am fynd i drws nesa' byth eto.'

'Be fuo heddiw eto?'

'Mynd yno yn rhy fuan ddaru mi, a nhwtha wrthi'n byta; a mi ges i darten gwsberis a'i byta ar y setl. 'D oedd arna i ddim o'i heisio hi. Mi'r oedd Mrs. Huws yn gas wrth i rhoi hi i mi.'

'Wrth y setl aiê. Os oeddat ti'n ddigon da i fynd i

chwara efo'i merch hi, mi'r oeddat ti'n ddigon da i ista wrth ei bwrdd hi hefyd.'

Deuai gwres cywilydd i'w hwyneb wrth iddi gofio am hynny rŵan, a gallai weld y llefrith wedi cawsio ar y darten gwsberis yn serennu arni, ond ni chofiai â chof digllon ei mam – eisiau rhywun i chwarae efo hi *heddiw* oedd arni ac yr oedd Mair yn well na neb. Rowliodd ei mam goler arall dros ei dau fys.

'Welis i 'rioed le a chyn lleied o blant. 'Roedd gormod o blant ers talwm.'

'Lle mae Robin?'

'Mae o ym mhen i helynt tua'r Coedcyll yna, yn gwlychu 'i draed reit siŵr. Mi fydd ynta yn sâl eto.'

'Mi a'i efo fo fory.'

'Na, 'd ei di ddim, ma'r gwynt yn rhy fain a'r dŵr yn rhy oer.'

Clustfeiniodd Begw, a chlywodd glic llidiart y drws nesa'. Allan â hi, a dyna lle'r oedd Mair, ond nid yn rhedeg i gyfarfod â hi, ond yn sefyll wrth ei llidiart ei hun heb symud. Aeth Begw ati a gafael yn ei llaw yn swil, gan edmygu cyrls trwchus Mair a'i bochau cochion.

'Mae arna i eisiau mynd i'r siop i mam,' ebe Mair.

'Mi ddo'i efo chi.'

'Ddaru mi ddim gofyn ichi. Gofynnwch gynta.'

'Ga' i?'

'Cewch.'

A chychwynnodd y ddwy, Begw yn taro ei chlocsiau yn galed ar y ddaear, yn rhoi ei gên ar les ei brat, y gwynt oer yn gwneud i ddŵr sboncio o'i llygad, a chyrls

Mair yn neidio fel bwi ar fôr o gwmpas ei hwyneb. Yn y gwelltglas ar ochr y ffordd, ymdrechai rhyw flodyn Ebrill unig ei ddangos ei hun, yng nghanol y llwydni, a'r gwelltglas yn ddigon llwm i chwi allu chwipio top arno. Safai dafad ac oen yn grynedig ar boncan y wal bridd, yr oen yn glòs o flaen ei fam yn rhoi rhyw gam byr a stopio, cam byr a stopio o hyd, fel dau degan ohonynt hwy eu hunain ar dresel. Yna daeth sŵn cnoc-cnoc morthwyl, sŵn nas clywais Begw ers pa cyd, a seren o garreg ar bentwr cerrig Twm Huws y Ffordd yn disgleirio yn yr haul. Eisteddai'r torrwr cerrig ar ei bentwr yn ei London Iorcs a sbectol weiran am ei lygaid, yn dal i gnocio fel pe tai heb glywed sŵn troed neb a heb droi ei ben.

'A dyma Begw wedi mendio.'

'Sut oeddach chi'n gwybod mai fi oedd yna?'

'O ma gen'i lygada tu nôl i mhen wsti.'

'R un fath â Misus.....'

'R un fath â phawb sy'n mynd i oed. Mi'r oedd hi'n chwith iawn hebot ti hyd y lôn yma, ond yr oeddwn i'n cael cownt ohonot ti bob dydd. Oho, fel yna, Mair, aiê, gollwng dy dirsia am fod Begw yn cael sylw,' ebe Twm Huws dan lafar-ganu'r rhigwm:

'Mwnci ciat a mwnci ciatas
Tirsia mul a thirsia mulas'.

'Lle ddaru 'chi ddysgu honna?'

'Gin fy nain. Ydach chi'n mynd i'r siop?'

'Ydan.'

'Pwy ddeudodd wrthoch chi yn bod ni yn mynd i'r

siop?' ebe Mair.

'Y chi.'

'Ia, ond y fi sy'n mynd nid y chi.'

'Mi'r ydw i'n mynd adra ynta,' ebe Begw, bron â chrio.

'Hitia di befo, Begw, mi ddaw dy dro dithau i fod yn fistras ryw ddiwrnod. Ond paid ti â chymryd gynni hi. Yli *di,* Begw, dos di i'r siop drosta *i* ,a thyd ag owns o faco i mi, a dyma iti ddima i wario. A Mair, gan dy fod titha yn mynd i'r siop *efo* Begw, dyma i titha ddima i arbad helynt.'

Edrychai Begw ar ben ei digon a Mair wedi torri ei chrib. Ond pêl yn codi'r bownd oedd Mair yr un fath â'i chyrls, a dechreuodd brepian wedyn.

'Hen ddyn cas ydi Twm Huws.'

' 'R ydw i'n meddwl i fod o'n ddyn ffeind iawn.'

'Mae o'n hen ddyn coman ac yn gwisgo trywsus melfaréd.'

'Ma' nhad yn gwisgo trywsus melfaréd hefyd, ond 'does gynno fo ddim London Iorcs. Mi faswn i'n licio tasa gynno fo London Iorcs.'

Yr oedd y siop fel erioed yn llawn o bob math o aroglau ar draws ei gilydd yr un fath â'r nwyddau. Ni ddywedodd y siopwr ddim wrth Begw, ddim ond gwenu. Ac O! mi'r oedd yno fferins bob lliw, yr un siâp â soser a'i hwyneb i lawr, a phob math o bethau wedi eu hysgrifennu arnynt mewn lliwiau eraill. Gwerth dimai bob un a brysio allan er mwyn cael agor y cwd papur ac astudio'r geiriau cariadus fel 'kiss me quick' a oedd ar y da-da, a'u bwyta. Ond nid cyn i Mair gael gwneud yn siŵr na chafodd Begw fwy na hi.

Brysiodd Mair ymlaen tan gnoi a chyrhaeddodd ddrws y tŷ efo'r neges i'w mam, a Begw wrth ei sawdl, cyn gorffen y fferins. Yr oedd Mrs. Huws wedi agor y drws cyn i Mair godi'r glicied. Edrychai Mrs. Huws yn fwy sarrug nag arfer, a'i gwallt wedi ei dynnu yn dynn oddi wrth ei hwyneb. Yr oedd ei llais yn sych a chaled.

'Mi fuoch yn hir iawn a finna eisio'r burum. Siarad efo hen ddyn y ffordd yna y buoch chi, mi wranta.'

'Begw fuo, fuo fi ddim.'

'Ddylat ti ddim siarad efo rhyw hen ddyn fel yna, Begw.'

'Mi gawson ni ddima i wario gynno fo.'

'Ddaru chi, *Mair,* 'rioed gymryd dimai gynno fo.'

'Do,' ebe hi mewn cywilydd.

'A mi ddaru chi i gwario hi am fferins?'

'Do.'

'Y fo ddeudodd mai i gwario yr oedd hi i fod,' ebe Begw yn amddiffynnol.

'T oeddwn i ddim yn siarad efo chdi, Begw. Efo Mair yr oeddwn i'n siarad. 'D oes ryfadd yn y byd ych bod chi'n cochi a rhoi'ch pen i lawr, Mair. Begw, dos di adra a dowch chitha i'r tŷ, Mair.

Hyn heb edrych ar Begw. Caeodd y drws mor sydyn fel y cafodd Begw hi ei hun yn edrych i fyny fel cyw deryn am ei damaid, a'i llygaid yn rhythu ar y swigod paent ar ddrws Mrs. Huws. Ni allai symud o'r ystum yma am dipyn, oblegid digwyddasai'r cwbl fel corwynt. Yna ceisiodd glustfeinio i wybod beth a ddeuai o Mair. Safodd yno yn ddisgwylgar, wedi ei hoelio, ac ias o ofn a phleser cymysg yn mynd i lawr ei chefn. Disgwyliai glywed sgrech. Ond ni ddaeth iddi y pleser o feddwl bod Mair yn cael ei chwipio, dim ond sŵn pell fel sŵn pryfed yn yr awyr ar dywydd poeth.

Blinodd aros i ddim ddigwydd ac aeth yn ôl i'w thŷ ei hun am yr ail waith. Yr oedd sŵn tincian llestri te yno erbyn hyn, a'r smwddio drosodd.

'Wel?'

'Mae Mair yn cael cweir 'd wi'n meddwl.'

'Am be?'

'Am wario dima am fferins heb ofyn i'w mam.'

'Chafodd hi 'rioed ddima gin i mam.'

'Naddo. Twm Huws roth ddima bob un inni am ddŵad â baco iddo fo o'r siop.'

'R o'n i'n meddwl. Lle mae dy fferins di?'

'Dyma nhw. Hwdiwch.'

'Na, na i wir mo'r hen bethau lliw yna o ryw gynffon cwd papur felna. Well gin i lwmpyn brith a fferins mint, a wneiff rheina ddim lles i titha. Tyd i drio byta rhwbath wnaiff les iti.'

'T oes arna i ddim eisio bwyd.'

'Tyd, dyma i ti frechdan dda. Mi gawn ni swper chwarel toc. Dyma Robin yn dŵad tan lusgo'i draed.'

'O, mi 'rydw i *dest* â llwgu.'

'Mi llasat titha ddŵad adra at dy fwyd, fedrwn i ddim dŵad a fo ar dy ôl di.'

Lluchiodd Robin ei gap ar y soffa a dechreuodd

slaffio'r brechdanau cyn eistedd.

Gweddnewidiwyd y gegin i Begw. Daeth aroglau hogyn iddi, aroglau trywsus melfaréd a llaid a dŵr budr. Disgynnai pluen ei wallt yn wlyb dros ei dalcen, ac yr oedd rhimyn main o ôl dŵr yn rhedeg o'i wallt hyd i'w arlais.

'A be fuost *ti'n* wneud efo dy ddiwrnod gŵyl?'

'O fawr o ddim. 'Does yna ddim cnau na physgod na silidóns na dim yr adeg yma ar y flwyddyn.'

'Paid ti â deisyfu 'does, y machgen i, mi ddaw hi'n amsar cnau yn hen ddigon buan iti. Aros di nes doi di i f'oed i.'

'Ond mi'r ydan ni wedi ffendio llyn i sbydu pan ddaw hi'n adag dal pysgod.'

'Do, mi wn, mi'r ydach chi siŵr o ffendio rhyw ddrwg. Tydi Begw druan wedi cael fawr o hafit ar i diwrnod cynta allan.'

Ni wyddai Robin ar y ddaear beth i'w ddweud wrth ei chwaer. Gallai siarad yn haws â physgodyn.

'Mi fuo raid i Mair fynd i'r tŷ am wario dima, a cheith hi ddim dŵad i chwara eto.'

'Tw. Waeth iti befo hi, fasa fo fawr o gollad tasa hi byth yn dŵad allan.'

'Ella na ddaw hi ddim allan, mae hi wedi cael hannar i lladd,' meddai Begw gan ei mwynhau ei hun.

'Deud ddaru' ti gynna dy fod ti'n *meddwl* i bod hi wedi cael cweir.'

'Wel, mi glywis i sŵn. Mi ddo i efo chdi at yr afon y tro nesa, Robin.'

'Na, ddoi di ddim, nid lle i genod ydi afon.'

'Hitia befo, Begw, mi gei ddwad efo mi i'r dre,' ryw ddiwrnod.'

' 'D oes arna i ddim eisio mynd i'r dre.'

Wrth deimlo blinder ei choesau a chofio strydoedd poethion y dref, aeth yn ystyfnig. Nid oedd neb am adael iddi gael dim yr hoffai ei gael, na mynd am dro, na chael mynd at yr afon, na chael credu ei chelwydd ei hun. Teimlai'n druenus.

Dyma'i mam yn edrych ar y cloc.

'Sobrwydd annwyl! Mi fydd ych tad yma gyda hyn a minna heb roi'r tatws yn y lobscows.'

Rhuthrodd o gwmpas ei gwaith. Robin erbyn hyn wedi codi un droed ar y gadair, ei ben yn gorffwys yn ôl ar ei chefn, ac yntau'n edrych i'r seilin, wedi blino'n braf. Yr oedd Begw a'i llaw dan ei phen ar y bwrdd yn syllu i'r tân, wedi blino'n boenus fel arall, ac yn dyheu am fynd i'w gwely. Ond nid oedd wiw iddi ddweud hynny wrth ei mam, neu yno y câi fynd cyn i'w thad ddyfod adref, ac aros ynddo drannoeth efallai. Ceisiai edrych yn siriol a throes ei phen i edrych ar Robin. Yr oedd o mor flêr, ac mor ddihitio ac mor hapus. Cenfigennai wrtho.

Fel pe na bai'n dweud dim byd, ac er mwyn dweud rhywbeth, meddai Robin, a'r fam erbyn hyn yn ffitio'r lobscows efo halen a'i chefn ato.

'Mi'r oedd Huws drws nesa wrth yr afon.'

'Yli di, mi roi i ti Huws, galwa di'r dyn yn Mistar Huws. Mae o'n ddyn da beth bynnag ydy i wraig o.'

'O, dyna fo. Mi'r oedd Mistar Huws i lawr wrth yr

afon, yn cerddad yn ôl a blaen ac yn mwngial siarad efo fo'i hun.'

Dyma'r fam yn rhoi hanner tro oddi wrth y sosban fel agor gwyntyll ac yn dal llwy i fyny yn ei llaw.

'Y gelach bach yn sôn am dy gnau a dy silidons, a dim yn deud peth pwysig fel yna. Mi fasa ambell hogyn yn rhedag adra efo'i wynt yn i ddwrn efo newydd fel yna.'

'Tw, 't ydi hynna ddim byd. Mae o'n hen arfer â siarad efo fo'i hun wrth yr afon.'

'Y creadur gwirion. Mae arna i ofn wir y rhydd y dyn yna ben ar i fywyd ryw ddiwrnod.'

Tawelwch wedyn, a Begw yn dal i syllu i'r tân.

'Ydi pregethwrs yn bobol dda?' – oddi wrth Robin.

'Wel, ma nhw i *fod* yn dda, beth bynnag.'

' 'D ydw i ddim yn meddwl fod Mr Huws drws nesa yn ddyn da *iawn*.'

'Pam wyt ti'n dwud hynny?'

Tynnodd Begw ei llaw o dan ei phen ac eisteddodd yn syth.

'Mae Mr Huws yn rhegi weithia.'

'Pwy ddeudodd?'

'Mi clywis i ô fy hun, wrth roi cweir i Wil y Fedw.'

'*Roth* o gweir i Wil y Fedw?'

'Do, am ddal iâr eisio gori o dan y pistyll.'

'Mi 'nath yn iawn.'

'Hwre! Da iawn, Mr Huws!' ebe Begw.

'Ella mai dyna'r unig siawns mae'r creadur yn i gael i regi ac i roi cweir i neb, a faswn i'n meddwl bod yn rhaid i *brygethwr* gael rhegi weithia. Mi fasa'n ollyngdod mawr i Mistar Huws druan.'

'Be'di gollyngdod, Mam?' ebe Begw.

'O, wyddost ti, cael rhwbath allan sy wedi bod i mewn am hir.'

' 'R un fath â fi yn taflu i fyny?'

'Dyna chdi, mi'r wyt ti wedi 'i dallt hi.'

Yr oedd Robin bron wedi mynd i gysgu erbyn hyn, a thawelwch diwedd dydd yn dechrau cau am y gegin. Yr oedd yr haul ar fin diflannu dros Sir Fôn, ac yn edrych fel petai am ail godi'i ben cyn mynd o'r golwg. Dyma sŵn traed eto, a'r munud nesaf daeth y tad i lenwi'r cynddrws ac i guddio'r haul o'r golwg.

'A sut buo hi efo Begw heddiw?'

'Dim llawar o hwyl,' ebe'r fam.

'Be' oedd yn bod, felly?'

'Methu cyd-dynnu mae hi a Hogan drws nesa' yna.'

'Biti, ond mi gallith y ddwy toc. Be oedd yn bod, felly?'

'O, fel y gelli di feddwl, Mair yn cael i thynnu i'r tŷ am wario dima heb i mam ddweud y câi hi.'

'Hynny bach.'

'A mi gafodd Mair gweir iawn gin i mam nes oedd hi'n sgrechian dros y tŷ,' ebe Begw.

A chafodd hithau, Begw, beth ddwedodd ei mam hefyd? O ie, ollyngdod wrth daflu ei dymuniad i fyny yn gelwydd twt cyfa. Gwelodd ei mam yn rhoi winc ar ei thad, ond ni ddeallodd ystyr y winc honno.

'Mae arna i eisio lobscows, Mam.'

'Dyna rwbath go lew wir. Mi'r wyt ti wedi cael

stumog wedi bod allan beth bynnag.'

Prin y gallodd orffen ei swper chwarel heb fynd i gysgu, ac er mor wan a blin ei choesau, yr oedd yn braf cael syrthio i feddalwch derbyniol y gwely plu, a chlywed y pistyll yn dal i dywallt ei ddŵr i'r pwll a'i suo i angof o'r diwrnod siomedig.

* * * * * * * * *

Ymhen oriau dyma sgrech o'r siamber gefn. Begw yn gweiddi dros y tŷ wedi cael hunllef ofnadwy. Wil y Fedw yn dal Mair drws nesa' gerfydd ei thraed o dan y pistyll, Mistar Huws yn rhegi Wil nerth ei ben, a'i farf wedi troi yn glaerwyn o gwmpas ei wyneb, a Mrs Huws yn rhedeg o'r tŷ a thaflu Mistar Huws i'r pwll. Ond yr oedd ei mam yno mewn eiliad, a hithau yn deffro.

'Hen bobol gas ydyn nhw i gyd bob un wan ohonyn nhw. Hen bobol frwnt, Robin a phawb.'

'Dyna fo. Dyna fo. Dim ond breuddwyd oedd o.'

Marwolaeth Stori

Tair noson cyn y Nadolig, y noson y buasai Begw yn edrych ymlaen ati ers wythnosau. Hen amser cas oedd y Nadolig, yn enwedig noson cyn y Nadolig. Nid oedd fawr o bleser mewn edrych ymlaen at y Nadolig pan oedd yn rhaid i chwi fynd ar ben llwyfan ac adrodd hen beth mor wirion â

> ''R wyf fi yn fwy na Doli,
> A Dada'n fwy na fi,
> Ond nid yw Dada'n tyfu,
> Na Doli, welwch chwi.'

Mi wyddai pawb, siŵr iawn, ei bod hi'n fwy nag unrhyw ddol (nid oedd ganddi un ei hun) a bod ei thad yn fwy na hi. A 'd oedd hi erioed wedi galw ei thad yn 'Dada'. Beth pe bai hi'n anghofio fel y tro cynt, a chael drwg gan ei mam, neu beth pe bai ei phais yn dŵad i lawr fel Lisi Jên, Pen Lôn? Medrai weld y bobl o'i blaen yn rhythu arni fel pe bai llew wedi eu dychryn, dim ond am ei bod wedi anghofio, a gwefusau ei mam yn symud ac yn dweud y geiriau. Ond yr oedd yn rhy hwyr, yr oedd wedi anghofio, ac am fod y beirniad mor ffeind, mi aeth i grio. Beth pe digwyddai hynny nos drennydd eto?

Ond yr oedd heno yn beth braf, heno oedd ei Nadolig hi. Yr oedd yn cael aros ar ei thraed yn hwyr a'r plant eraill yn gorfod mynd i'w gwelyau, ac yr oedd Bilw yn dyfod yno – Bilw na byddai byth yn edrych yn gas, Bilw a chwarddai o hyd, Bilw a ddywedai: 'Lle mae Begw?' fel pe buasai wedi chwilio'r ddaear cyn dyfod o hyd iddi. Eisteddai wrth y tân yn llawn disgwyl, gan gnoi ei hewinedd tu cefn i'w mam a osodai'r llestri ar y bwrdd. Yr oedd aroglau cŵyr melyn lond y gegin, y dodrefn yn disgleirio a'r teils coch a du ar y llawr yn dywyll gan sebon a chadach. Gorweddai cysgodion ar ben draw y gegin fel eryr mawr yn lledu ei esgyll. Y tu ôl i'r cysgodion yr oedd darluniau teidiau a neiniau, ewythrod a modrabedd, marwnadau mewn fframiau i aelodau o'r teulu a dreuliasai lawer Nadolig yn eu beddau. A thu ôl i hynny, yn y siamberydd tywyll, y plant lleiaf a'u breuddwydion yn annelwig iawn am y Nadolig a'r hen ŵr a ddeuai â'i sach ar ei gefn i lawr y simnai. Nid oedd arnynt hwy ofn y cyfarfod llenyddol. Nid oeddynt ddigon hen. Uwchben y bwrdd a'r llestri swper hongiai cawell y caneri gan ysgwyd ôl a blaen a symud ei batrwm rhwyllog oddi ar y bowlen siwgr ar y plât bara ymenyn. A Dic, y caneri, a'i ben yn gam, yn edrych arnynt. Yr oedd tân mawr coch yn y grât a'r cochni yn rhedeg yn araf i'r marwor a ymestynnai'n bell i fyny'r simnai. Ychwanegid at olau'r aelwyd o dan y simnai fawr gan sach siwgr gwyn a roddasid ar y matin newydd. Yn y twll mawn wrth ochr y popty yr oedd y gath yn cysgu yn dorch. Ar bolyn y cyrten crogai dwy long, yr unig deganau y medrwyd eu cadw erioed am mai anrhegion drud rhyw berthynas gwell ei fyd na hwy oeddynt. O'r tu allan codai awel o wynt weithiau, a deuai ei chwynfan i'r tŷ megis cwyno gwan dyn claf.

Yr oedd Dafydd Siôn wedi cyrraedd ac yn eistedd yn y gadair freichiau. I Begw nid oedd Dafydd Siôn yn ddim, dim ond hen ddyn â barf lwyd, heb ddannedd, yn dweud straeon, ac yn edrych arni hi fel pe na bai yno. Weithiau, fe edrychai drwyddi heb na gwên na gwg ar ei wyneb, dim ond edrych arni a rhoi pwniad yn ei brest, a chwyrnu 'By' fel pe bai'n ceisio ei dychryn. Yr oedd hi wedi hen arfer â hyn. Byddai arni eisiau chwerthin wrth edrych ar ei wyneb, a phennau ei fochau yn codi fel afalau cochion o dan ei lygaid wrth iddo gnoi ei fwyd. Ond nid oedd yn hoffi edrych ar y diferyn dŵr a hongiai wrth gongl ei lygaid fel y diferyn dŵr ar ffrâm y ffenestr.

Toc, fe ddaeth ei Modryb Sara fel llong a sefyll ar ganol y llawr. Yr oedd ei hwyneb yn lân iawn a'i gwallt wedi ei dynnu'n dynn o dan ei het. Gwyddai Begw fod ganddi lot o bethau o dan ei siôl, a dyma hi'n dechrau dadlwytho a'u rhoi ar y bwrdd – afalau, orenau, hancetsi poced, yr un pethau bob blwyddyn. Na, wir, dyma rywbeth arall yn dyfod o dan y siôl mewn papur sidan, crafat i Begw. Dyma'r tro cyntaf iddi gael dim byd fel hyn, dim ond rhyw hances boced a gâi o hyd, ond dyma rywbeth a fyddai yn y golwg i gyd, crafat gwyn a phwythau croes ynddo. Rhoes ef dros ei hysgwyddau a'i arogli a'i anwesu.

Ond y munud hwnnw dyna'r gwynt yn chwibanu yn y drws a Bilw yn sefyll yn y cysgodion ac yn gofyn: 'Sut ydach chi heno? Lle mae Begw?' A hithau'n rhedeg a'i dynnu at y setl. Plygodd wrth fyned dan y simnai fawr gan ei fod mor dal. Tynnodd ei gap clustiau a dal ei ddwylo o flaen y tân. Syllai Begw arno. Yr oedd mor ddel yn ei gôt a gwasgod noson waith a'i drywsus melfared. A'i wyneb mor lân a'i lygaid mor loyw, a'i ddannedd mor glws. Biti ei fod yn cnoi baco, meddyliai Begw.

Ar ôl cael tamaid o swper, gwthiwyd y bwrdd yn ôl a gwneud cylch o gwmpas y tân, a gwyddai Begw y byddai Dafydd Siôn yn dechrau arni.

'Noson olau braf heno, Sarah, fydd arnat ti ddim ofn mynd adre, ddim yr un fath â'r noson honno ers talwm y bu agos i mi golli 'mywyd ar y mynydd yna.'

'Na fydd,' meddai Modryb Sara yn reit glên, fel pe na chlywsai air o'r stori erioed o'r blaen.

'Dyna'r peth mwya' ofnadwy a fu ar fy mhen i erioed,' meddai Dafydd Siôn. ' 'R oedd Gwen fy ngh'nither yn sâl iawn yn y Twmpath ar ochr Moel y Grug, ac mi wyddoch faint o ffordd a sut ffordd oedd o fan'no i Fryncyll, tŷ nhad a mam. Wel, mi gefais i fy ngyrru yno ar ôl swper chwrael ryw noson yn y gaeaf fel hyn, i edrych sut yr oedd Gwen, a siars i beidio ag ymdroi gan fod eisiau imi halltu'r mochyn yn lle 'nhad am ei fod o wedi agor ei fys yn y chwarel. 'R oedd hi'n dywyll fel bol buwch ddu, ond mi fedrwn weld pennau'r cloddiau, ac mi gyrhaeddais y Twmpath heb lawer o drafferth. Wedi eistedd am ryw ugain munud i chi, 'r oedd hi tua naw erbyn hyn, mi gychwynnais adre.....'

'R ydach chi wedi anghofio dweud sut oedd Gwen,'

meddai Begw.

'Hisht,' oddi wrth ei thad.

Chwerthin oddi wrth Bilw, a Modryb Sara'n gwenu. Aeth Dafydd Siôn ymlaen:

'O, do wir, mi ddar'u imi anghofio. 'R oedd Gwen yn sâl iawn, a'r greadures yn griddfan dros y tŷ. Meddwl am hynny a wnaeth imi fethu dirnad am funud ei bod hi'n dywyllach pan ddois i allan na phan es i i mewn i'r tŷ. Ni fedrwn weld pennau'r cloddiau o bobtu'r llidiart erbyn hyn, ac mi wyddwn nad oedd yno ddim cloddiau nes cyrraedd Hafod Ddafydd. Mi wyddost b'le mae fan' no, Bilw?'

'Gwn yn iawn.'

'Wedyn, ydach chi'n gweld, 'r oedd gen i ddarn o fynydd i'w groesi heb ganllaw fel petai. Wel, 'd oedd dim i'w wneud ond dilyn fy nhrwyn orau y medrwn i heb droi i'r chwith na'r dde; mi wyddwn y cyrhaeddwn i gartre' felly, rywsut, ac y down i at gloddiau'r Hafod. Unwaith y cawn i gyrraedd y rheini mi fedrwn ymbalfalu ar hyd-ddynt i Fryncyll. 'D oedd arna'i ddim llai nag ofn, a dweud y gwir, a 'roeddwn i'n falch o glywed sŵn y grug crin o dan fy nhraed a sŵn ceiniog yn fy mhoced. Yr oeddwn i'n disgwyl o hyd fynd yn bwcs i gloddiau'r Hafod ac yn wardio rhag imi daro fy nhrwyn yn sydyn yn y wal. Ond 'd oedd yno na wal, na thŷ, na thwlc, dim ond y fi a'r ddaear a'r düwch. A dyma fi'n treio meddwl lle'r oeddwn i, a oeddwn i'n agos at y Twmpath neu at Fryncyll, neu rywle tua hanner y ffordd. A dyma fi'n cael rhyw deimlad rhyfedd, fel y bydd rhywun wedi deffro'n sydyn weithiau, ac yn methu gwybod pa un ai at y ffenestr ai at y pared y mae ei wyneb. A chyn y medrwn i gyfri' dau, 'r oeddwn i wedi colli fy nghyfeiriad ac yn methu gwybod pa un ai at y Twmpath ai at gartre yr oedd fy wyneb i. Mi benderfynais orwedd i lawr yn fan'no tan y bore, gweld y buasai hynny'n saffach na mynd i donnen, petawn i'n digwydd mynd y tu isa' i'r Hafod. Ond cofiais am y mochyn ac ail-ddechrau cerdded. Wel, mi gerddais ac mi gerddais, 'r oeddwn i'n meddwl 'mod i wedi cerdded am oriau heb gyrraedd glan yn unman.....'

'Dyma fi'n clywed sŵn meddal ffrwd,' meddai Begw.

'Paid ti â mynd o 'mlaen i rŵan; ie, sŵn meddal ffrwd, a dyma fi'n gweld bod siawns imi wybod p'run 'te 'nghefn i, ynte' f'wyneb i oedd tuag adref. Beth bynnag, mi blygais yn y fan lle'r oeddwn yn meddwl fod y ffrwd, a rhoi fy llaw yn y dŵr yn syth a'm bawd at i fyny. Mi wyddwn i os torrai'r dŵr ar gefn fy llaw i 'mod i â'm hwyneb tuag adref, 'r oedd rhyw dric felly gynnom ni pan oeddem yn blant, ond 'd oedd hynny ddim yn tycio. A 'd oedd dim i'w wneud ond ail-ddechrau cerdded. Cerdded a cherdded a cherdded am hydion, fel top yn methu stopio. Ymhen sbel hir iawn, mi welwn olau gwan mewn tŷ a dyna fi'n 'nelu tuag ato. Erbyn mynd ato, beth oedd ond golau yn llofft Gwen yn y Twmpath. 'D oeddwn i ddim am eu poeni hwy wedyn. Mi drois fy nghefn ar y golau a'm hwyneb tuag adref, ac adref â mi'n syth yn yr un faint a amser ag a gymerodd i mi fynd yno. Ond mi ddigwyddodd un peth wedyn cyn imi gyrraedd y tŷ – rŵan, Begw, y fi sydd i ddweud hyn, nid ychdi – 'r ydach chi'n gwybod am y gornel deirsgwar yna wrth lidiart Bryncyll. Wedi imi gyrraedd fan'no dyma fi'n baglu ar draws rhywbeth, a syrthio ar fy hyd a'r rhywbeth yma'n gwegian odana i, a minnau fel petawn i'n nofio ar fôr, a beth oedd yno ond rhyw ddwsin o ferlod mynydd wedi troi am loches. Wir, dyna'r dychryn mwya' a ges i y noson honno. 'D oedd neb wedi cynhyrfu llawer yn y tŷ am 'mod i'n cyrraedd mor hwyr – wedi meddwl bod Gwen yn waelach – ac erbyn imi orffen halltu'r mochyn 'r oedd hi'n bedwar o'r gloch y bore, a 'd oedd hi ddim gwerth mynd i'r ciando wedyn.'

'Felly wir,' meddai tad Begw reit siriol.

Bu agos i Begw ddweud:

'Amen, dyn pren,
Hitio mochyn yn ei ben,'

ond cofiodd fod gan Dafydd Siôn gyfleth yn ei boced.

'Hwda, dyma chdi,' meddai o, 'am beidio â thorri i mewn yn rhy aml.'

'Diolch yn fawr, Dafydd Siôn, ac mi wn i pam nad oedd rhoi eich llaw yn y dŵr yn gwneud y tric.'

'Pam?'

'Am na wyddech chi ddim pa ochr i'r ffrwd 'r oeddech chi, siŵr iawn.'

'Yli di, mi 'r wyt ti'n rhy glyfar ac yn rhy ifanc i ddweud "siŵr iawn" ar gynffon brawddeg.'

Brifwyd hi am eiliad, ond yr oedd Bilw'n gwenu wrth ei hochr.

'A oes gynnoch chi stori, Bilw?'

'Oes, un ffresiach na honna, newydd ddŵad o'r popty. Mae hi wedi bod yn storm yn tŷ ni.'

'O' oddi wrth bawb.

''D wn i ddim i beth mae eisiau hen gwarfodydd llenyddol.'

'O! Bilw annwyl, yn meddwl yr un fath â fi,' meddai Begw wrthi ei hun.

Poerodd Bilw ei jacan jou i ganol y fflam.

'Mi aeth Siani acw efo'r plant am bractis adrodd at Grugfab neithiwr a'm gadael i yn y tŷ i edrych ar ôl y pwdin yn berwi. 'R oedd hi wedi rhoi llond tegell o ddŵr berwedig wrth ochr y sosban a finnau i fod i roi dŵr i'r pwdin bob hyn a hyn. Ond mi eis i i gysgu, a'r peth nesa' a glywn i oedd clec dros y tŷ. (Methai fyned ymlaen gan chwerthin.) 'Wyddwn i ar y ddaear beth oedd yn bod, ond mi gofiais am y pwdin. A dyma fi'n edrach i mewn i'r sosbon, a 'd oedd yno ddim ond colsyn du ar y llechen ar waelod y sosbon a'r sosbon yn wen.'

Igiai Bilw gan chwerthin; a mor wir oedd dywediad ei mam mai Bilw oedd yr unig un y medrai ei ddioddef yn chwerthin am ben ei stori ei hun. Ymunodd pawb arall ag ef, a chwerthin y buont heb fedru dweud dim. Credai Begw y byddai rhywbeth siŵr o dorri ym mrest Bilw. Stopiodd hi yn sydyn a gofyn:

'Gawsoch chi ddrwg gan Siani?'

'Naddo, mynd i grio ddar'u hi.'

'Pam?'

'Am fod yn rhaid iddi wneud pwdin arall, ac ella brynu sosbon newydd.'

'Ddaru'r pwdin roi sbonc allan o'r sosbon i'r simdde?'

'Naddo.'

'Wel, do.'

A dechreuodd hithau chwerthin yn aflywodraethus wrth ddychmygu am y pwdin yn neidio i fyny'r simdde a'r caead o'i flaen.

'Yli di,' meddai Dafydd Siôn, ' 'd wyt ti ddim yn mynd i ddweud peth fel yna. Cadw di at y gwir. Fel yna mae straeon yn mynd o gwmpas.'

'Do,' meddai Bilw, gan roi winc ar y lleill. 'Mi ddaru'r pwdin neidio i fyny'r simdde a'r caead o'i flaen, ond 'd awn ni ddim ar i ôl o.'

'Fedrwn ni ddim mynd i fyny'r simdde ar i ôl o, siŵr iawn.'

Trodd ei llygad rhag edrych ar Dafydd Siôn.

'Am dy wely rŵan,' meddai ei mam, 'mae Huwcyn yn dŵad.'

Fe aeth dan ocheneidio ac edrych ar Bilw. Rhoes yntau swllt yn ei llaw.

'Gobeithio y cei di rywbeth ato fo yn y Cwarfod Llenyddol.'

Ni fedrai Begw ddweud dim. Yr oedd Bilw'n rhy ffeind, ond O! i beth oedd eisiau iddo sôn am yr hen, gwarfod yma?

Wedi i'w mam ei swatio yn y gwely, gofynnodd wedyn:

'Pam yr oedd Siani'n crio?'

' 'D wn i ddim, druan â hi.'

'A druan â Bilw.'

'Ia, druan â Bilw, a druan â phawb sydd wedi blino.'

'Ydi Dafydd Siôn wedi blino?'

' 'D ydy' o ddim wedi blino dweud y stori yna 'ddyliwn i'.

'Mi 'r oedd o wedi blino cerdded reit siŵr.'

'Oedd, ond mi 'r oedd o'n ifanc yr adeg honno.'

'A ydy Bilw'n ifanc?'

'Ydy, a Siani, ac mi anghofian' y pwdin cyn y 'Dolig nesa'.'

'Pam na wnaiff Dafydd Siôn anghofio colli'r ffordd ar y mynydd?'

'O, mi fydd Bilw yn ail-ddweud stori'r pwdin pan fydd o tua'r pedwar ugain yma.'

'A fydd gynno *fo* ddiferyn o ddŵr yn hongian wrth i lygad?'

'Bydd, reit siŵr.'

'Ac afal ar dop i foch?'

'Ac afal ar dop i foch.'

'Fydd o'n hyll?'

'Rŵan, rŵan, 'd'ydy' Dafydd Siôn ddim yn hyll.'

Cusanodd ei mam a gwaeddodd 'Nos dawch' ar y lleill.

'Nos dawch, Begw.'

Ni fedrai gysgu. Deuai sŵn y siarad o'r gegin fel sŵn gwenyn yn yr haf, ac ambell 'Ha, ha' oddi wrth Bilw yn ei ganol.

Rhaid ei bod wedi cysgu beth, achos yr oedd pob man yn ddistaw. Cododd ac agorodd ddrws y siamber. Yr oedd y cadeiriau'n wag yn y gegin ac yn edrych fel pe bai rhywrai wedi eu gadael am byth. Aeth hithau atynt ac eistedd ar bob un yn ei thro ac at y setl lle'r oedd ôl trywsus melfaréd Bilw ar y glustog. Yr oedd y lamp wedi ei diffodd, ond deuai llygedyn o oleuni o'r grât ar y sach. Agorodd y gath ei llygad yn y twll mawn, a chaeodd hwy drachefn. Cysgai Dic â'i ben yn ei blu a siglodd ei glwyd yn ysgafn. Ond nid oedd patrwm ar y bwrdd mwyach. Yr oedd y marwor yn llwyd, ond yno yn y canol yr oedd jacan jou Bilw, yn reit debyg i'r pwdin a losgwyd. Yfory, byddai wedi mynd i ganlyn y lludw a byddai Bilw yn y chwarel.

Nos drennydd, byddai hithau'n crynu gan ofn ar ben y llwyfan, ofn anghofio, ofn i'w phais ddisgyn, gweld y cannoedd pobl o'i blaen fel planced lwyd a lot a fwclis disglair arni, yn edrych i gyd arni hi, fel petai hi'n rhyfeddol, ac yn barod i'w llyncu os anghofiai. O! diar, pam na fuasai pob noson fel heno a dim eisiau cofio.

‘ 'R wyf fi yn fwy na Doli.....' Aeth yn ôl i'w gwely ac wrth iddi roddi ei phen ar y gobennydd disgynnodd un marworyn a'i stori gydag ef i'r twll lludw, a bu tawelwch mawr.

Te yn y Grug

'Ga' i weld o?' meddai Begw wrth ei mam a mynd ar ei phennau-gliniau ar gadair yn y tŷ llaeth.

Jeli oedd yr 'o', peth newydd sbon i fam Begw ac i bob mam arall yn yr ardal. I Begw, rhyfeddod oedd y peth hwn a oedd yn ddŵr ar fwrdd y tŷ llaeth yn y nos ac yn gryndod solet yn y bore, ond, yn fwy na hynny, yn beth mor dda i'w fwyta. Neithiwr, yr oedd ei mam wedi gwneud peth coch ar wahân mewn gwydr hirgoes iddi hi ei gael i fynd am de parti i'r mynydd grug efo Mair y drws nesa'. Yr oedd mam Mair am wneud peth iddi hithau, meddai hi. Gobeithiai Begw y cadwai mam Mair ei gair, oblegid mor fawr oedd ei heiddigedd meddiannol o'r jeli fel na fedrai feddwl ei rannu â neb. Yr oedd ei mam wedi deall hynny ac wedi ei wneud ar wahân yn y gwydr del yma.

'Y fi pia hwn i gyd, yntê, Mam?'

'Ia, bob tamaid. Mi gei stumog yng ngwynt y mynydd, ac mi wneith les iti.'

Lles oedd bob dim gan ei mam, nid y teimlad braf o'i glywed yn llithro i lawr ei gwddw yn oer. Ond yr oedd yna rywbeth arall hefyd – mi fedrai lartsio efo Mair ar gorn y jeli. Yr oedd Mair wedi lartsio digon yn yr ysgol efo'i thomatos, ac wedi dweud mai hwy oedd wedi cael y tomatos cyntaf yn yr ardal, ac o flaen neb yn y dre' o ran hynny, a Robin wedi gofyn iddi sut y gwyddai hynny a degau o filoedd o bobl yn byw yn y dre'.

‘A dyma iti dipyn o frechdana i’w bwyta efo fo, a the oer mewn potal Ac mi gei fenthyg dy sgidia gora heddiw am dro, yn lle dy fod chdi’n llusgo’r clocsiau mawr yna.’

‘O, mi fydda i ’r un fath â Mair drws nesa’ rŵan.’

‘Dim ond yn dy draed, gobeithio.’

Yr oedd Mrs. Huws y Pregethwr a Mair wrth y llidiart pan aeth Begw a’i mam allan.

‘Wir,’ meddai Mrs. Huws, ‘ ’d wn i ddim ydy hi’n dryst gadael i ddwy hogan wyth oed fynd ’u hunain i’r mynydd.’

‘Fyddan’ nhw ddim ’u hunain os byddan’ nhw efo’i gilydd,’ meddai ei chymdoges er mwyn tynnu’n groes.

‘Ond beth petai rhyw hen dramp yn ymosod arnyn’ nhw, fasa’ dwy fawr gwell nag un?’

‘Nid ar y mynydd y bydd trampars yn hel cardod, Mrs. Huws.’

‘Mae digon ohonyn nhw’n croesi’r mynydd pan fydd ’u sgidia nhw yn rhy ddrwg i gerdded y ffyrdd. A mae yna lot o hen hogia drwg o gwmpas.’

‘Welis i ’rioed hogia drwg,’ meddai mam Begw fel petai Robin ei mab yn angel.

‘O, wel, dim and gobeithio’r gorau. Fe ddylsan ni fynd efo nhw,’ meddai Mrs. Huws.

Ni buasai dim hwyl yn hynny, debygai Begw, a rhag ofn i Mrs. Huws gyflawni ei hawgrym, cychwynnodd, a Mair o’i lledol. Cawsant ganiatâd i fynd yn bennoeth gan mai i’r mynydd yr aent, a’u rubanau gwallt fel ieir bach yr ha’ ar ochr eu pennau. Gwisgai Begw frat a’r ddwy ffrilen ar ei bennau ysgwyddau yn agor allan fel gwyntyll. Sylwodd hi nad oedd gan Mair olwg o fwyd yn unlle. Cariai fabi dol ar ei braich, a dyna'r cwbl. Yn awr dechreuodd penbleth i Begw, y penbleth hwnnw a ddeuai i'w rhan o hyd ac o hyd. Beth oedd orau i'w wneud? Ni allai fwyta ei jeli a'i brechdanau ac edrych ar Mair wrth ei hymyl heb ddim, ac yr oedd yn benderfynol na châi ddim o'i jeli. Gallai gynnig brechdan a diod iddi.

'Mae gin i jeli,' meddai yn gynnil.

'Twt, 'd oes dim byd yn hwnnw. Hen beth rhad ydy o. Mae'n well gin i domatos.'

'Oes gynnoch chi rai efo chi?'

'Nag oes.'

Disgynnodd gwep Begw. Ofnai y byddai'n rhaid iddi rannu ei jeli.

Ychydig bach cyn troi i'r mynydd, pwy a welsant ar y ffordd ond Winni Ffinni Hadog, yn sefyll â'i breichiau ar led fel petai hi'n gwneud dril.

'Chewch chi ddim pasio,' meddai hi yn herfeiddiol.

A dyma'r ddwy arall yn ceisio dianc heibio iddi, ond yr oedd dwy fraich Winni i lawr arnynt fel dwy fraich sowldiwr pren. Wedyn dyna hi'n gafael yn llaw rydd pob un ac yn eu troi o gwmpas.

' 'R ydw i yn dwâd efo chi i'r mynydd,' meddai.

'Pwy ddeudodd y caech chi ddŵad?' meddai Mair.

'Sut ydach chi'n gwbod mai i'r mynydd ydan ni'n mynd?' oedd cwestiwn Begw.

'Tasat ti yn fy nabod i, fasat ti ddim yn gofyn y fath gwestiwn.'

'Ydy o'n wir ych bod chi'n wits?' ebe Begw.

'Ddyla hogan bach fel chdi ddim holi cwestiyna'.'

Edrychodd Begwn arni. Gwisgai ryw hen ffrog drom amdani, a brat pyg yr olwg heb ddim patrwm arno, dim and dau dwll llawes a thwll gwddw, a llinyn crychu drwy hwnnw. Ei gwallt yn gynhinion hir o gwmpas ei phen ac yn disgyn i'w llygaid. Yr oeddynt wedi troi i'r mynydd erbyn hyn, a rhedai awel ysgafn dros blu'r gweunydd gan chwythu ffrog ysgafn Mair a dangos y gwaith edau a nodwydd ar ei phais wen. Fflantiai godre cwmpasog ffrog Winni o'r naill ochr i'r llall fel cynffon buwch ar wres. Tarawodd ei chlocsen ar garreg.

'Damia,' meddai hi yn ddistaw, ac yna yn uwch, 'yn t ydy o'n beth rhyfedd ych bod chi'n gweld sêrs wrth daro'ch clocsan ar garrag?'

Ni allai Begw gredu ei chlustiau, ac wrth na chlywodd Mair yn rhyfeddu na gwrthwynebu, penderfynodd nad oedd wedi clywed y rheg. Hefyd, yr oedd penbleth rhannu'r jeli yn mynd yn anos. Byddai'n rhaid iddi gynnig peth i Winni rŵan.

'Mi 'r ydw i wedi blino'n lân, mae arna'i eisio bwyd,' meddai Winni, gan dynnu ei dwylo o ddwylo'r ddwy arall.

'Mae'r clwt glas yma wedi'i neud ar yn cyfar ni.' Ac eisteddodd ar glwt glas o laswellt yng nghanol y grug.

'Rŵan, steddwch,' meddai fel swyddog byddin.

Ni allai'r ddwy arall wneud dim and ufuddhau, fel petaent wedi eu swyngyfareddu.

'Fuoch chi 'rioed yn sir Fôn?' meddai Winni, gan

edrych tuag at yr ynys honno.

'Mi fuom i efo'r stemar bach,' meddai Mair.

'Fuom i 'rioed,' meddai Begw.

'Na finna,' meddai Winni, 'ond mi 'r ydw i am fynd ryw ddiwrnod.'

'Yn lle cewch chi bres?' gofynnodd Mair.

'Mi 'r ydw i'n mynd i weini, wedi imi adael yr ysgol y mis nesa'.'

'I b'le?' gofynnodd Begw.

' 'D wn i ddim. Ond mi faswn i'n licio mynd i Lundain, yn ddigon pell.'

'Fasa arnoch chi ddim hiraeth ar ôl ych tad a'ch mam?'

'Na fasa, 'd oes gin i ddim mam iawn, a ma gin i gythral o dad.'

Caeodd Mair ei llygaid a'u hagor wedyn mewn dirmyg. Gwnaeth Begw ryw sŵn tebyg i sŵn chwerthin yn ei gwddw, gall edrych yn hanner edmygol ar Winni.

'Mi wneith Duw ych rhoi chi yn y tân mawr am regi,' meddai Mair.

'Dim ffiars o beryg. Mae Duw yn ffeindiach na dy dad ti, ac yn gallach na'r ffŵl o dad sy gin i.'

'O,' meddai Mair, wedi dychryn, 'mi ddeuda i wrth tada.'

'Sawl tad sy gin ti, felly?'

'Tada mae hi'n galw'i thad, a finna yn 'nhad,' meddai Begw.

'A finna yn lembo,' meddai Winni.

'Bedi lembo?'

'Dyn chwarter call yn meddwl i fod o'n gallach na neb. Tasa fo'n gall, fasa fo ddim wedi priodi'r cownslar dynas acw.'

'Nid y hi ydy'ch mam chi felly?'

'Naci, mae fy mam i wedi marw, a'i ail wraig o ydy hon. Ffŵl oedd fy mam inna hefyd. Ffŵl diniwad wrth gwrs.'

'O,' meddai Begw, 'bedach chi'n deud peth fel yna am ych mam?'

'Wel, mi'r oedd hi'n wirion yn priodi dyn fel nhad i gychwyn, ac wedi'i briodi fo, yn cymryd pob dim gynno fo. Mi'r oedd yn dda i'r gryduras gael mynd i'w bedd. Ond mae yna fistar ar Mistar Mostyn rŵan.'

'Pwy ydy Mistar Mostyn ?'

' 'D wn i yn y byd. Rhyw stiward chwarel reit siŵr.'

Ocheneidiodd Begw, ac edrychodd ar wyneb Winni. Yr oedd ei hwyneb yn goch erbyn hyn, ac edrychai dros bennau'r ddwy leiaf i gyfeiriad y môr. Yr oedd natur camdra yn ei cheg, a chan ei bod yn gorfod taflu ei phen yn ôl i daflu ei gwallt o'i llygad, yr oedd golwg herfeiddiol arni. Pan oedd Begw yn meddwl pa bryd y caent ddechrau ar eu te, dyma Winni yn dechrau arni wedyn.

'Fyddwch chi'n breuddwydio weithiau?'

'Bydda' yn y nos,' meddai Begw.

'O na, yn y dydd ydw' i'n feddwl.'

'Fedrwch chi ddim breuddwydio heb gysgu.'

'Mi fedra' i,' meddai Winni.

'Peidiwch â gwrando arni'n deud clwydda,' meddai

Mair.

Ond yr oedd Begw yn gwrando â'i cheg yn agored, a Winni fel rhyw fath o broffwyd iddi erbyn hyn, yn edrych yr un fath â'r llun o Daniel yn ffau'r llewod.

'Fydda' i'n gneud dim ond breuddwydio drwy'r dydd,' meddai Winni, 'dyna pam mae gin i dylla yn fy sana, a dyna lle bydd gwraig y 'nhad yn achwyn amdana'i wrtho fo cyn iddo fo dynnu'i dun bwyd o'i boced wedi cyrraedd adra o'r chwaral. A mi fydda'i yn cael chwip din cyn mynd i 'ngwely.'

'O-o-o,' meddai Mair gydag arswyd.

Chwarddodd Begw yn nerfus.

' 'D oedd o ddim yn beth i chwerthin i mi. Ond un noson mi drois i arno fo, a mi gyrhaeddis i glustan iddo fo. 'R ydw i bron cyn dalad â fo erbyn hyn.'

'A beth wnaeth o?'

'Fy nghloi fi yn y siambar heb ola na dim, a ches i ddim swpar. Ond mi'r oeddwn i wedi cael i dalu fo yn i goin. Ond chysgis i fawr am fod gwanc yn fy stumog.'

'Bedi gwanc?'

'Miloedd o lewod yn gweiddi eisio bwyd yn dy·fol di. Ond mi'r ydw i am ddengid ryw ddiwrnod i Lundain. Wedi dechra dengid yr ydw i heddiw, am fod Lisi Jên wedi bygwth cweir imi bora.'

'Pwy ydy Lisi Jên?'

'Ond gwraig 'y nhad.'

'Be wyddwn i?'

'Dyna chdi'n gwbod rŵan.'

Edrychai Mair i lawr ar ei ffrog heb ddweud dim, a

Begw a holai. Cafodd ei brifo gan yr ateb olaf.

Aeth Winni ymlaen.

'Tendiwch chi,' meddai, dan grensian ei dannedd, 'mi fydda' i'n mynd fel yr awal ryw ddiwrnod, a stopia' i ddim nes bydda'i yn Llundain. A mi ga' i le i weini a chael pres.'

' 'T ydy morynion ddim yn cael fawr o bres,' meddai Mair.

'O, nid at grachod 'r un fath â chdi yr ydw' i'n mynd i weini, ond at y Frenhines Victoria 'i hun. A mi ga'i wisgo cap startsh gwyn ar ben fy shinón, a barclod gwyn, a llinynna hir 'dat odra fy sgert yn i glymu. A mi ga'i ffrog sidan i fynd allan gyda'r nos a breslet aur, a wats aur ar fy mrest yn sownd wrth froitsh aur cwlwm dolan a giard aur fawr yn ddau dro am fy ngwddw fi. A mi ga'i gariad del efo gwallt crychlyd, nid un 'r un fath â'r hen hogia coman sy fforma. A ffarwel i Twm Ffinni Hadog a'i wraig am byth bythoedd.'

Yna dechreuodd dynnu ym mhlanhigion y corn carw a dyfai gan ymgordeddu'n dynn am fonion y grug. Tynnai a thynnai yn amyneddgar â'i llaw wydn, ac yna wedi cael digon, rhoes ef o gwmpas ei phen fel torch.

'Dyma i chi Frenhines Sheba,' meddai.

Ar hynny, dyma hi'n lluchio ei dwy glocsen ac yn dechrau dawnsio ar y grug, ei sodlau duon yn ymddangos fel dau ben Jac Do drwy'r tyllau yn ei sanau. Dawnsiai fel peth gwyllt gan luchio ei breichiau o gwmpas, a throi ei hwyneb at yr haul. Gafaelodd yng ngodre ei sgert ag un llaw a dal y fraich arall i fyny. Sylwodd Begw nad oedd ond croen noeth ei chluniau i'w weld o dan ei sgert. Toc dyna hi'n stopio, ac yn disgyn gan led-orwedd ar y ddaear.

'O, mae'r bendro arna' i.'

'Cymwch lymad o de oer, Winni,' meddai Begw, 'mi wneith hwn les i chi.'

Yr oedd wedi cael y gair 'Winni' allan o'r diwedd, ac wedi symud cam ymlaen yn ei chydymdeimlad â hi.

Ar hynny cododd Winni ar ei heistedd.

'Doro'r fasgiad yna imi, 'd ydw i ddim wedi cael tamad o ginio.'

Ac fel person wedi colli ei synhwyrau dyma hi'n gafael yn y gwydr jeli a'r llwy ac yn ei lowcio i gyd ac yna yn slaffio'r brechdanau. Yr oedd Begw wedi ei hoelio wrth y ddaear, a'r dagrau wedi neidio i'w llygaid. Gwenai Mair yn oer.

'A rŵan,' meddai Winni, gan godi a lluchio'r gwydr i'r fasged, 'r ydw i am ych chwipio chi.'

Rhedodd Mair am ei bywyd, a gadael i'w dol ddisgyn i rywle. Ni allai Begw symud, dim ond edrych i wyneb Winni a'i golwg yn ymbil am drugaredd. Ond cyflawnodd Winni ei bygythiad yn ddiseremoni. Cododd ei dillad a'i chwipio. Sgrechiodd Begw a medrodd ddianc. Rhedodd i fyny'r mynydd dan grio, troes ei golwg yn ôl unwaith a gweld Winni'n rhedeg nerth bywyd ar ôl Mair. Ymlaen ac ymlaen yr aeth Begw, a'i chorff yn rhyfeddol o ysgafn, nes cyrraedd camfa haearn. Tros y gamfa a chyrraedd gweundir eang gwastad. Dal i redeg a chael ei bod yn mynd ar i lawr. Daeth dyffryn i'r golwg, ac afon yn rhedeg drwyddo. Stopiodd hithau ac eistedd ar fwsogl braf. Daliai i igian crio o hyd, a dechreuodd ebwch mawr arall wrth gofio ei chywilydd. Yr oedd yn druenus wrth feddwl bod neb heblaw ei mam wedi ei chwipio. Yna daeth teimlad arall, meddwl fel yr oedd wedi dechrau gweld rhywbeth y gallai ei hoffi yn Winni, yn lle ei bod fel pawb yn yr ardal yn ei chau allan fel tomen amharchus na fedrai neb gyffwrdd â hi and efo fforch deilo. Ac yn sydyn hollol dyna Winni yn gwneud peth a brofai mai pobl yr ardal a oedd yn iawn. Stopiodd grio, a daeth tristwch tawel drosti. Gorweddodd ar ei hyd ar y ddaear gynnes, ac edrych ar yr awyr las a oedd fel parasôl mawr uwch ei phen. Efo cil ei llygad gallai weled cornel o Lyn Llyncwel fel darn o fap Iwerddon, a theimlai'n ddig wrth drwyn y mynydd a'i rhwystrai rhag gweld rhagor. Daeth rhyw deimlad braf drosti, mor braf oedd bod ar wahân, yn lle bod ymysg pobl. Yr oedd rhywbeth cas yn dŵad i'r golwg o hyd mewn pobl. Dyna Winni, wedi dechrau bod yn hoffus, ond na, yr oedd yn rhaid iddi ei hanghofio. Yr oedd y distawrwydd yma yn braf. Pob sŵn, sŵn o bell oedd o, sŵn cerrig yn mynd i lawr dros domen y chwarel, sŵn saethu Llanberis, bref dafad unig ymhell yn rhywle, a'r cwbl yn gwneud iddi feddwl am ochenaid y babi wrth gysgu yn ei grud gartref. Aeth i gysgu yn hyfrydwch ei hamgylchedd. Yna clywodd sŵn agos, a rhywun yn cerdded yn felfedaidd ar hyd y ddaear. Cododd ar ei heistedd yn sydyn a gweld Robin ei brawd yn dyfod tuag ati, a'r fasged fwyd yn ei law. Bron nad oedd yn filen wrtho am dorri ar ei llonyddwch.

'Wel,' meddai Robin, 'mi ges i fraw.'

'Pam?'

'Meddwl dy fod chdi wedi mynd ar goll. Well iti ddŵad adra ar unwaith, ne mi fydd Mam wedi cychwyn i chwilio amdanat ti.'

'T ydi hi ddim yn fy nisgwyl i rŵan.'

'Mi fydd iti, achos 'r ydw i wedi gyrru Mair adra 'i hun. Mi ddalis i Winni Ffinni Hadog cyn i Mair gael cweir.

'Lle mae hi?'

'Pwy?'

'Winni.'

'Mae hi wedi mynd adra.'

' 'D wi ddim yn meddwl, achos 'r oedd hi'n deud i bod hi wedi dechra dengid o cartra heddiw.'

'Mae honna'n hen gân gin Winni, mae hi bownd o gyrraedd adra cyn nos iti.'

Ni soniodd yr un o'r ddau air am yr helynt ar y ffordd adre, Begw o gywilydd, a Robin am y tro yn deall teimladau ei chwaer. Pan gyraeddasant yr oedd eu mam efo Mrs. Huws a Mair yn sefyll wrth y llidiart, golwg mi-ddeudais-i-wrthoch-chi ar Mrs. Huws, a golwg bryderus iawn a droes yn wên groesawus ar wyneb ei mam.

'Mi ddylid rhoi'r Winni yna dan glo yn rhwla,' meddai Mrs. Huws, 'mae hi'n rhy hen i hoed o lawar, 'd ydy hi ddim ffit i fod ymysg plant.'

'Ella na fasa'n plant ninna fawr gwell petaen' nhw wedi 'u magu yr un fath â hi, Mrs. Huws. Chafodd yr hogan 'rioed siawns efo'r fath dad, 'r oedd i mam hi'n ddynas iawn.'

'H-m,' meddai Mrs. Huws, 'ciari-dyms ydy'r lot ohonyn' nhw. Tebyg at i debyg.'

'Mi ddylach *chi o* bawb wybod, Mrs. Huws,' meddai mam Begw gyda'i phwyslais gorau, 'mai gras Duw a'ch gyrrodd chi i ffynhonnau Trefriw a chwarfod Mr. Huws, ac nid Twm Ffinni Hadog.'

Yna cymerodd afael yn llaw Begw a'i thynnu trwy'r llidiart, a meddai hi wrth Robin pan droai Mrs. Huws a Mair at eu tŷ hwy:

'Well iti ddiolch i Mrs. Huws am gael y fraint o achub Mair o grafanga merch Twm Ffinni Hadog.'

A chaewyd drysau'r ddau dŷ.

Ond wedi cyrraedd y tŷ a chael eistedd yn y gadair, dechreuodd meddwl Begw weithio ar yr hyn a glywsai ei mam yn ei ddweud am fam Winni. 'Dynas iawn.' Daeth yr un cydymdeimlad tuag at Winni ag a gafodd ar y mynydd yn ôl iddi, pan siaradai am ei breuddwydion dydd. Daeth breuddwyd iddi hithau. Fe fynnai fynd i chwilio am Winni a chael ei mam i ofyn iddi ddŵad i de efo digon o jeli, er mwyn ei chlywed yn siarad. Mi fuasai ei mam hefyd wrth ei bodd yn ei chlywed yn siarad ac yn galw pobl yn grachod. Gallai weled wyneb Winni eto fel yr oedd pan siaradai am gael mynd i weini at y Frenhines. Ni allai anghofio'r wyneb hwnnw.

Ymwelydd i De

'Ydach chi'n licio Winni, Mam?' meddai Begw ymhen ychydig ddyddiau wedi'r te parti rhyfedd hwnnw ar ben y mynydd.

'Pa Winni?'

'Wyddoch chi, Winni ddaru fyta fy jeli fi ar ben y mynydd y diwrnod hwnnw.'

'O, Winni Ffinni Hadog.'

'Ia.'

Nid oedd Begw yn ddigon sicr o dymer ei mam i fentro defnyddio'r blas enw.

'Na, 'd ydw' i ddim yn 'nabod Winni yn iawn. 'R oeddwn i'n 'nabod 'i mam hi reit dda. Pam, beth oedd?'

'Wedi bod yn meddwl ydw' i.'

'Meddwl am beth?'

'Am Winni.'

'Beth amdani hi?'

'D wn i ddim. Meddwl y baswn i, baswn i –. Bedi ciari-dyms, Mam?'

'O, rhyw bobol amharchus.'

'Bedi amharchus?'

'O diar, be sy haru'r hogan? Wyt ti'n meddwl mai Geiriadur Charles ydw' i?'

Bu Begw yn ddistaw am dipyn, yn synfyfyrio i'r grât a'i mam yn trwsio ffustion. Wrth ei gweld felly, dyma ei mam yn meddwl y byddai'n well iddi geisio plymio i ddyfnderoedd y cwestiynau dyrys yma, ac wrth wneud fe ganfu na wyddai hi ei hun yn iawn beth oedd amharchus a chiari-dyms. Cyn iddi gael diffiniad i'w phlesio dyma gwestiwn arall fel bollt.

'Ydan ni'n giari-dyms, Mam?'

'Brenin annwyl, nac ydan, gobeithio.'

'Ydi Winni yn giari-dyms?'

'Fedra hi ddim bod yn giari-dyms, dim ond yn giari-dym. Na, 'd ydw' i ddim yn meddwl bod Winni yn giari-dym.'

'Mi 'r oedd Mrs. Huws, y gweinidog, yn deud i bod hi a'i theulu.'

'Mae pawb yn giari-dyms i Mrs. Huws, ond hi ei hun a'i gŵr a Mair.'

'Mi'r ydan ni yn giari-dyms felly?'

'Ella i Mrs. Huws. Ond fasa neb arall yn ein galw ni yn giari-dyms nac yn amharchus.'

'Fasa pobol yn galw teulu Winni yn amharchus?'

'Rhai pobol ella, ond nid pobol sydd i fod i ddeud.'

'Pwy ynta?'

'Wel pobol dduwiol yr un fath â Mrs. Huws drws nesa sydd yn deud, ond Duw ddyla ddeud. Y Fo sy'n gwybod ac yn rheoli'r byd.'

'Bedi rheoli?'

'Edrach ar ôl rhwbath.'

'Wel 'd ydi Duw ddim yn edrach ar ôl petha yn dda iawn, yn nag ydi?'

'Paid â siarad fel yna, mae bai ar bobol.'

'Ar bwy?'

'Ar bobol yr un fath â Mrs. Huws, drws nesa, am fod

yn rhy dda, a phobol fel Twm Ffinni Hadog a'i ail wraig am fod yn ddiog ac yn frwnt.'

'Pam na neith Duw ddeud wrthyn nhw am fod fel arall?'

'Dim yn gwrando mae'n nhw.'

'Ydan ni yn bobol dda, Mam?'

' 'Rydan ni'n treio bod.'

'I be mae eisio inni dreio bod yr un fath â Mrs. Huws ynta?'

'Go drapia,' meddai'r fam, 'dyna chdi wedi gneud imi blannu'r nodwydd yma yn fy mys.'

Distawrwydd wedyn, a dim ond sŵn caled y nodwydd yn mynd trwy'r melfaréd. Ond nid oedd Begw wedi gallu sgwario pethau yn ei meddwl. Ni wyddai o gwbl pa un a oedd Winni yn amharchus yng ngolwg ei mam ai peidio, ac oherwydd hynny nid oedd yn sicr a fyddai'n beth doeth iddi ofyn a gâi Winni ddyfod yno i de. Penderfynodd fentro ar y peth anhawsaf yn gyntaf.

'Mam?'

'Wel?'

'Gaiff Winni ddŵad yma i gael te ryw ddiwrnod?'

'Fasa ddim ods gin i. Pam mae arnat ti eisio i chael hi?'

'Mi'r ydw i yn licio Winni.'

'A hitha wedi dy chwipio di a byta dy fwyd ti?'

'Ia, ond ydach chi'n gweld, Mam, mi'r oeddwn i yn i licio hi cyn hynny. A mi'r oedd llewod yn i stumog hi, meddai hi. Y nhw oedd yn byta'r bwyd yntê?'

'Y gryduras! Mae'n rhaid nad oes yno ddim trefn ar

fwyd.'

Wedi cael yr addewid, teimlai Begw ei bod yn ddigon diogel i rybuddio ei mam ar bethau eraill. Yr oedd arni gymaint o ofn i'w mam gael ei siomi yn Winni.

'Mae hi'n rhegi fel cath, cofiwch. Mi ddaru ar y mynydd.'

'Siŵr gin i nad ydi hi'n clywad dim arall adra.'

'Biti, ynte?'

'Biti mawr.'

'Mae hi am fynd i ffwrdd i weini at y Frenhines Victoria, meddai hi.'

Chwarddodd y fam heb godi ei phen oddi ar y trywsus melfaréd.

'Ble ar y ddaear y câi'r gryduras bach ddillad i fynd i weini i'r dre heb sôn am Lundain?'

'O, t ydi hi ddim am fynd i'r dre, mae hi am fynd i ffwrdd yn bell.'

'Wel, rhag ofn iddi fynd well iti dreio cael gafael arni cyn gynted ag y medri di.'

Nid oedd y broblem yma wedi gwawrio ar Begw. Nid oedd bosibl cael gafael ar Winni yn un o gyfarfodydd y capel. Yr oedd hi fel diffyg ar yr haul yn almanac Robert Roberts, Caergybi, yn weledig yn y wlad hon ambell dro. Penderfynodd Begw fynd i gyfeiriad ei chartref. Nid âi i guro ar y drws. Byddai hynny yr un fath â mynd i ffau llewod. Gallai beidio â dyfod oddi yno yn fyw. Drannoeth mentrodd cyn belled â thŷ Winni. Yr oedd yn lle digon hawdd loetran o'i gwmpas heb i neb eich gweld, gan fod rhyw hanner canllath o ffordd drol rhwng y llidiart a'r tŷ. Âi iasau o bleser ac ofn i lawr ei chefn bob yn ail wrth nesáu at y llidiart, yr oedd arni eisiau gweld Winni, ac ar yr un pryd gobeithiai na welai hi y tro hwn, ond y gwelai hi y tro nesaf. Ond, wir, wedi cyrraedd y llidiart, gwelai Winni wrth ymyl drws y tŷ a phlentyn bach yn ei llaw. Ni wyddai beth fyddai orau ei wneud, pa un ai mynd ati ai gweiddi oddi wrth y llidiart. Gallai'r naill neu'r llall gynhyrfu Winni a'i gyrru i lifeiriant o regfeydd. Penderfynodd y byddai ei chroen yn iachach wrth sefyll wrth y llidiart.

'W– W–,' gwaeddodd.

Cododd Winni ei phen a rhoi ail hwb iddo yn ôl, er mwyn gyrru ei gwallt o'i llygad. Syllodd am hir i gyfeiriad Begw, ac yna symudodd yn araf tuag ati, gan dynnu'r babi gerfydd ei law, ac yntau heb fod yn rhy sicr ar ei draed, ac yn troi ochr bellaf ei gorff ar osgo i gyfeiriad Winni wrth gerdded a'i droed yn camu i mewn. Sylwodd Begw fod tomen fawr o dail o flaen drws y beudy, yn codi yn uwch na'r drws, a chofiodd ddisgrifiad ei thad o ddyn diog, 'fod ei domen dail yn uwch na drws ei feudy.'

'Be sy arnat ti eisio?' oedd cyfarchiad Winni o'r tu mewn i'r llidiart.

'Mam sy'n gofyn ddowch chi i de i tŷ ni 'fory'.

Edrychodd Winni i lawr ei cheg gam ar Begw, fel petai wedi gofyn iddi a ddôi i'r Seiat. Yna, yn hollol fawreddog, fel petai hi'n ferch i Arglwydd Niwbro, gofynnodd:

'Ym mhle'r wyt ti'n byw?'

Am eiliad teimlodd Begw mai hi oedd yn byw tu ôl i'r domen dail, a bod Winni wedi newid lle efo Mair drws nesa. Ond ymwrolodd:

'Ar hyd y lôn sy'n mynd draw oddi wrth y capal.'

'Yn ymyl tŷ'r pregethwr?'

'Ia, y drws nesa'.'

Cymerodd Wini amser i gysidro, yn hollol fel petai'r tai hynny rhy isel iddi dderbyn gwahoddiad iddynt.

'Ydi dynas y pregethwr yn debyg o ddŵad acw, tra byddan ni'n cael te?'

'Dyna'r peth dwaetha fasa hi'n i wneud.'

'Ol reit, mi ddo i ynta. Ond 'd oes gen i ddim dillad crand,' meddai hi yn nawddogol.

'Does dim eisio dillad crand,' meddai Begw heb allu cuddio ei balchder na rhagrithio fel Winni.

Dyma'r babi yn gwthio crystyn budr trwy'r llidiart a'i gynnig i Begw.

'Dim diolch, cariad,' meddai Begw. 'Ych brawd ydi o?'

'Hanner brawd,' atebodd Winni, 'ond mae o'n beth bach reit annwyl.'

'Bedi'ch enw chi?'

'Sionyn,' meddai yntau ac edrych ar ei draed, yn swil.

'Gaiff Sionyn ddŵad efo chi 'fory?' gofynnodd Begw.

' 'D oes arna' i ddim eisio iddo fo ddŵad,' meddai Winni yn siort. 'Pan fydda' i'n mynd i fisit 'd oes arna' i ddim eisio babis wrth fy nghynffon.'

Yr un dillad oedd gan Winni amdani ag a oedd ganddi ar y mynydd. Efallai bod y brat wedi ei olchi, ond nid oedd wedi ei smwddio. Dillad yr un fath yn union oedd gan y babi, ffrog a brat dibatrwm, a'r un mor byg eu gwedd.

'Ta-ta, Sionyn.' Chwiliodd yn ei phoced, ond nid oedd yno ddim un lwmp o fferin i'w roi iddo.

Gwenodd yntau yn hynaws rhwng ffyn y llidiart, a lluchio ei grystyn yn ddistaw i'r ochr arall.

'Ta-ta, Winni, a chofiwch mi fyddwn ni yn ych disgwyl chi tua thri.'

'Ol reit.' Ac yn hollol ddiseremoni troes Winni yn ei hôl heb gymaint â gwên na diolch.

Trannoeth yr oedd Begw mewn gwewyr drwy'r bore ofn i dymer ei mam newid, ac iddi ddweud na châi Winni ddyfod, ofn na chaent jeli, ofn y byddai Winni yn rhegi cymaint nes dychryn ei mam. Mewn gair, ofn ei bod hi wedi gwneud camgymeriad wrth ofyn a gâi ddyfod. Aeth i sbecian o gwmpas y tŷ llaeth yn y bore pan oedd ei mam yn bwydo'r moch, a dyfod o hyd i'r jeli mewn powlen ar y llawr wedi sadio, a phlât ar ei wyneb. Pan welodd ei mam yn rhoi lliain ar y bwrdd ar ôl cinio, ac yn estyn y radell i hwylio gwneud crempog, fe wyddai fod pob dim yn iawn yr ochr honno. Cafodd un funud ofnadwy pan ddywedodd ei mam wrthi ei hun fwy na heb:

'Mi fasa lobscows yn well pryd i'r hogan yna, wir, a hitha' ar i chythlwng bob amsar.'

'Ydach chi ddim yn mynd i neud lobscows i de, yn nag ydach?' meddai Begw, wedi dychryn, achos teimlai y dylai Winni Ffinni Hadog hyd yn oed gael te fel rhywun arall.

'O, nag ydw, ond meddwl yr oeddwn i y gwnâi o fwy o les iddi na rhyw grifft o jeli, a fedar neb fyta llawar o frechdan efo crempog.'

'Gweitiwch chi nes gwelwch chi Winni yn byta,' meddai Begw wrth hi ei hun.

Nid aeth oddi wrth benelin ei mam yr holl amser y bu'n gwneud y grempog. Dywedodd Robin nad oedd ef am aros i gael te efo Winni Ffinni Hadog, a dechreuodd Rhys grio wrth ei glywed yn dweud. Felly diflannodd Robin ac aeth â'i frawd bach efo fo, peth anarferol iawn. Cysgai'r babi yn ei grud a'i freichiau i fyny yn y gwres.

Toc clywsant sŵn clocsiau ar lechi'r drws, ac yr oedd mam Begw yno o'i blaen yn dweud:

'Dowch i mewn, Winni,' yn groesawus.

Gwisgai Winni yr un dillad ond bod y brat yn wahanol, ac yr oedd sodlau ei sanau fel pe baent wedi eu tynnu at ei gilydd efo edau. Yr oedd ei hwyneb yn bur lân ac yn disgleirio, ond darfyddai'r lle glân yn union o dan ei gên, mewn llinell derfyn ddu. Yr oedd y cynhinyn gwallt a ddisgynnai i'w llygad ar y mynydd wedi ei glymu'n ôl gyda darn o galico. Safodd ar flaenau ei thraed ar garreg y drws, ac yna cerddodd ar flaenau ei thraed i'r tŷ.

'Dew, mae gynnoch chi le glân yma,' meddai. 'Mae'n tŷ ni fel stabal.'

'Well i chi ddŵad at y bwrdd rŵan,' meddai mam Begw gan dorri ar ei thraws.

'Mae gynnoch chi jeli eto – mae hi'n de parti arnoch chi bob dydd, mae'n rhaid.'

'Nac ydi,' meddai Begw. 'I chi mae hwn wedi'i wneud.'

'Fyddwn ni byth yn cael peth, 'r ydan ni fel Job ar y doman.....'

'Twt, 'd oes dim llawer o ddim ynddo fo heblaw dŵr,' meddai Elin Gruffydd.

'Ches i ddim crempog er pan oedd mam yn fyw,' meddai Winni; 't ydi Lisi Jên byth yn gneud sgram.'

'Pwy ydi Lisi Jên?' gofynnodd mam Begw.

'Gwraig fy nhad. 'D ydi hi ddim yn fam i mi, trwy drugaredd. Mi fasa gin i gwilydd bod yn perthyn iddi hi.'

'Wel, mi ddylach i pharchu hi,' meddai Elin Gruffydd, 'a hitha wedi priodi efo'ch tad.'

'Parchu, wir. Sut medrwch chi barchu slebog? Hen gythral ydi hi.....'

Dechreuodd Begw grynu, gan ofn yr âi'r rhegi yn waeth.

Aeth Winni rhagddi.

'Mi faswn i'n medru byw yn iawn efo hi tasa hi'n gadael i mi llnau. Ond mae'r tŷ mor fudr nes mae arni hi ofn i mi weld pob man sydd ynddo fo, a neith hi ddim gadael i mi. Mae'r cwt mochyn yn lanach na'r tŷ.'

'Ond, Winni, fedrwch chi ddim twtio tipyn arnoch chi ych hun?'

'Y fi ddaru olchi'r brat yma bore heddiw, a'i roi fo ar yr eithin i sychu, ond 'r oedd raid i mi neud yn slei bach ne faswn i ddim yn cael sebon. O, mae'r crempoga yma'n dda.'

'Cymerwch ragor.' A chododd Elin Gruffydd dair arall

ar y fforc. Dyna'r nawfed, meddai Begw wrthi ei hun.

'A rêl lembo ydi 'nhad. Mae o wedi gwirioni i ben ar Lisi Jên. Tasa Mam yn fudr fel'na mi fasa wedi cael cweir gynno fo. Ond 'd ydi Lisi Jên yn gneud dim yn rong.'

'Faint sy er pan maen nhw wedi priodi?'

'Rhyw ddwy flynadd. Fuo fo fawr fwy na blwyddyn ar ôl i mam farw.'

'Dowch eto, Winni.'

A chymerodd hithau dair crempog arall.

'Neith Lisi Jên ddim codi i neud brecwast iddo fo cyn iddo fo fynd i'r chwaral. Mi orfeddith yn braf yn 'i gwely tan tua naw. A 'd ydi o yn cwyno dim fod yn rhaid iddo fo neud 'i frecwast. Mi gododd Mam tan aeth hi i fethu, a mi fydda'n griddfan gin boen wrth dorri brechdana i'w rhoi yn 'i dun bwyd o, a fynta'n deud: "Be ddiawl sydd arnat ti?" Mi fyddwn i yn codi weithia' ac yn gneud tân ond fedrwn i ddim torri brechdan.'

Yr oedd y sgwrs yn mynd i gyfeiriad gwahanol i'r hyn a obeithiasai Begw. Nid oedd Winni yn herfeiddiol fel yr oedd ar y mynydd, ac nid oedd golwg dawnsio arni heddiw.

'Fedrwch chi ddim dŵad i'r capal weithia', Winni?' gofynnodd mam Begw .

' 'D oes gin i ddim dillad, a 'd oes arna' i ddim eisio dŵad at ryw hen grachod fel dynas drws nesa' yma.'

'T ydi pawb ddim yn grachod, wyddoch chi.'

'Mae pawb yn troi 'i trwyna arna' i fel tawn i'n faw. Cytia clomennod ydi tai lot o'r rheini hefyd.'

'Eisio i chi ddŵad a pheidio â malio ynddyn' nhw. 'D ydyn 'nhw ddim gwell na chithau.'

'Nac ydyn', wir Dduw, faswn i ddim yn sbio drwy gwilsyn ar rai ohonyn' nhw. Dyna i chi fodryb Lisi Jên, efo'i bwa plu a'i sgidia mroco a jiwals fel pegia moch wrth i chlustia', a mae hi'n fyw o ddled.'

'A mae hi'n mynd i'r dre' bob Sadwrn,' meddai Begw.

'Sut gwyddost ti?' meddai Winni.

'Mi fydda' i yn cael dima gynni hi am gario'i pharseli hi oddi wrth y frêc.'

'Dyna hi i'r dim, dima i ti, dim i siop y pentra yma a'r cwbwl i siopa'r dre'. Dyna i chi bedi ledi.'

Chwarddodd Elin Gruffydd.

'Dyna'r unig amser y bydda' i yn licio Lisi Jên, pan fydd 'i modryb hi yn troi 'i thrwyn arni hi. Mi fasa tynnu llun Lisi Jên a hitha' efo'i gilydd yn gwneud pictiwr da.'

Chwarddodd Winni, am y tro cyntaf er pan gyraeddasai.

Aeth ymlaen wedyn:

'Crachod ydi'r rhan fwya' o bobol y lle yma, a maen' nhw'n medru edrach reit barchus ddydd Sul yn y capal. Ond biti na fasach chi'n 'i gweld nhw hyd y mynydd yna yn y nos.'

Meddyliodd Elin Gruffydd y byddai'n well iddi dorri ar ei thraws yn y fan yma.

'Pryd y byddwch chi yn gadael yr ysgol, Winni?'

'Dipyn cyn y Nadolig, mi fydda' i yn dair-ar-ddeg yr adeg honno. A mi 'r ydw i am fynd i Lundain i weini - -

mynd yn ddigon pell.'

'Fasa dim gwell i chi fynd i'r dre' ne' rywla yn nes adra? Rhaid i chi gael dillad crand iawn i fynd i Lundain.'

'Llundain ne' ddim i mi. Mi gawn olchi llestri a chap startsh gwyn am fy mhen. Mae yna selerydd mawr yn Llundain a gias yn 'i goleuo nhw, a phetha'r un fath â bocs yn cario'r bwyd i fyny i'r byddigions heb i neb 'i gario fo. A mi gawn i noson allan, a mi awn i i'r capel wedyn. Fasa neb yn fy 'nabod i yn fanno, na neb yn gwybod 'mod i'n ferch i Twm Ffinni Hadog.'

'Sut ydach chi'n gwybod yr holl hanes yma am Lundain, Winni?' meddai mam Begw wrth roi llwyad arall o jeli ar ei phlât.

'Wedi darllan amdanyn' nhw yn slei bach yr ydw 'i. Mi faswn i'n gwybod mwy onibai fod Lisi Jên fel gelan ar fy ôl i. Yn fy ngwely tua phump yn y bora y bydda' i'n cael y siawns ora', a mi fydda' i yn cuddio'r llyfr o dan y gwely peswyn. Dim peryg' i Lisi Jên 'i ffeindio fo yn fanno. 'D ydi hi byth yn cweirio'r gwely.'

'Ydach chi'n medru darllan Saesneg?' gofynnodd Begw.

'Dipyn bach, digon i ddallt sut le ydi Llundain.'

Rhythai Begw arni gydag edmygedd, a'r fam gyda thosturi.

'Ydach chi'n gweld,' aeth Winni ymlaen, ' 'taswn i yn mynd i weini i'r dre', mi wn i sut y basa hi. Mi fasa 'nhad yn dŵad i lawr i fenthyca fy nghyflog i fesul swllt er mwyn hel diod i'r hogsiad bol yna sy gynno fo, a faswn i yn gweld dim dima. Peth arall, crachod sydd yn y dre' hefyd. Pryfaid wedi hedag oddi ar doman ydyn' nhwytha 'r un fath â modryb Lisi Jên.'

'Ella bydd arnoch chi hiraeth wedi mynd i Lundain,' mentrodd Begw yn ochelgar. Bu Winni yn ddistaw am eiliad, yn syllu yn ddifrifol ar ei phlât.

'Basa, mi fasa arna' i hiraeth ar ôl un, Sionyn ydi hwnnw. Mae o'n hen beth bach annwyl, ond 'd oes neb yn malio dim ynddo fo ond y fi. Mae'ch babi bach chi fel y nefoedd o lân, a Sionyn bach fel toman dail. 'D ydi o byth yn cael mynd i'r lôn, mi fuaswn i'n cael i weld o weithia' taswn i'n mynd i'r dre'.'

'Eisio i chi fynnu cael golchi 'i ddillad o a'ch dillad ych hun, Winni, dim ods beth ddyfyd ych mam, er mwyn i chi gael mynd o gwmpas yn o ddel. Gymwch chi ragor o grempog?'

'Mi orffenna i efo brechdan. Mi neith hyn wledd imi am fis. Biti na fasa Sionyn wedi cael tamaid.'

'Mi ddaru' mi ofyn i chi ddŵad â fo,' meddai Begw.

'Mi ro i dipyn o grempoga i chi fynd iddo fo,' meddai Elin Gruffydd.

'Fiw imi,' meddai Winni, 'ne' mi ga' i gweir gan Lisi Jên am fynd i hel tai.'

Yna cododd ei phen yn sydyn, pan glywsant sŵn traed ar y cowrt. Cyn iddynt gael llyncu eu poeri, yr oedd Lisi Jên, llysfam Winni, ar lawr y tŷ, yn gweiddi heb gymryd sylw o neb.

'Yn fan 'ma'r wyt ti, ia, yn hel yn dy fol, a finna' heb neb i edrach ar ôl y plentyn yma.' (Yr oedd Sionyn ar ei braich.) 'Tyrd adra y munud yma, iti gael taflu'r golch o'r siamberi. Cwilydd i chitha, Elin Gruffydd, i gynnwys peth fel hyn i'ch tŷ.'

' 'Steddwch,' meddai Elin Gruffydd reit hamddenol, gan afael ynddi, a'i thywys i gyfeiriad cadair. 'Mi gewch baned o de a chrempog rŵan. Mi 'na i de ffres yn y tebot.'

Aeth Lisi Jên fel oen ac eistedd ar y gadair.

'Winni,' gwaeddodd Sionyn, a rhedeg at ei hanner chwaer. Dododd hithau ef ar ei glin, a dechrau ei fwydo oddi ar ei phlât ei hun. Cyn pen dim yr oeddynt yn ail-ddechrau yfed te eto, ond yr oedd yr awyrgylch yn hollol wahanol. Pawb yn edrych yn bur ddifrifol, ag eithrio Sionyn, a gâi ei fwyd fel cyw deryn o law Winni. Amlwg nad oedd blagardio ei llysfam yn cael dim effaith ar yr olaf, oblegid edrychai yn hollol hapus wrth ddandlwn Sionyn a'i fwydo. Ni allai estyn y crempogau yn ddigon buan i'w geg.

Wedi gorffen bwyta, cododd pawb.

'Diolch i chi,' meddai Lisi Jên reit ffwr-bwt.

Meddyliodd Begw oddi wrth ei hosgo fod Winni am wneud araith broffwydol cyn ymadael, ond y cwbl a ddywedodd oedd:

'Diolch yn fawr i chi, Elin Gruffydd, dyna'r pryd gora' ges i 'rioed. Mi fydd yn rhaid iddo fo 'neud imi am hir.'

Dywedodd hyn gan edrych ar ei llysfam, a golwg honno yn dweud, 'Aros di nes doi di adra, mi gei di'r pryd gora'.'

Wrth iddynt droi oddi wrth y drws, meddyliai Elin Gruffydd mai 'slebog' oedd y gair iawn am Lisi Jên. Wrth weld gwên hoffus Sionyn cofiodd fod ganddi fferins yn y drôr, a rhedodd i'w nôl i'w rhoi iddo.

Aeth Elin Gruffydd i'w danfon at y llidiart, ac wrth gwrs yr oedd yn rhaid i Mrs. Huws y gweinidog fod yn yr ardd, yn chwynnu lle nad oedd chwyn ac yn gweld pwy oedd ei hymwelwyr. Ond ni faliai Elin Gruffydd. Yr oedd rhywbeth heblaw meddyliau balch na difalch yn ei chalon, meddyliau digalon oedd y rheini wrth weld y tri yn troi am y ffordd. 'Pam?' meddai wrthi ei hun. 'Pam?' Cododd ei llaw ar Sionyn.

Wedi mynd i'r tŷ bu Begw yn cynnal cwest ar yr ymweliad. Nid oedd yn hollol fel y tybiasai y byddai. Yr oedd hi wedi meddwl y buasai huodledd Winni wedi codi i'r un tir ag ydoedd ar y mynydd, neu'n uwch. ond fflat iawn oedd Winni. Efallai ei bod hi wedi ei gwneud yn ddigalon wrth sôn am hiraeth. Nid oedd mynd oddi cartref yn beth hawdd hyd yn oed i Winni a oedd yn ei gasáu. Tybed a feiddiai hi ofyn cwestiwn i'w mam.

Eisteddai Elin Gruffydd hithau, yn synfyfyrio, a'i babi ar ei glin yn cael ditan.

'Oeddech chi yn licio Winni, Mam?'

'Oeddwn, mae'r hogan yn iawn, tasa hi'n cael chwarae teg. A Sionyn bach yna, 'y ngwas i.'

'Mae Winni yn ffeind wrtho fo yn 't ydi?'

'Ydi, 'd oes neb arall, mae'n amlwg. Ond mae Mrs. Huws drws nesa' yn iawn yn un peth.'

'Bedi hwnnw?'

'Mae Winni yn llawar hŷn na'i hoed. Ond digon hawdd inni siarad. Fuo hi 'rioed yn blentyn mae'n amlwg. Y gamp iddi hi fydd cael yr afael rydd oddi wrth Lisi Jên a'i thad. Ond os ydw' i yn 'nabod pobol, mae Winni siŵr o ffeindio rhyw ffordd o gael edrach ar 'i hôl 'i hun ryw ddiwrnod.'

'Ac ar ôl Sionyn, yntê, Mam?'

'Ia.'

'Ella neith Duw edrach ar i hola nhw yn well nag ydan ni'n meddwl.'

'Ella.'

Eithr y peth mawr i Begw oedd fod ei mam yn hoffi Winni. Nid oedd hi wedi gwneud camgymeriad wrth ofyn a gâi Winni ddŵad i de.

Dianc i Lundain

Safai Begw wrth y llidiart wedi sorri am na chawsai fynd i hel mwyar duon gyda Robin ei brawd ar ôl cinio. Dywedasai hwnnw nad oedd hogan wyth oed yn ddigon 'tebol i fynd trwy fieri wrth ben ffrydiau ar ôl y mwyar duon mawr, ac nad oedd rhai bach yn werth cario piser bach chwarel cyn belled. Aethai hithau i'r siamber gefn i strancio, ac wrth weld na thalai hynny aeth at ei dol i chwilio am gysur, a daliai'r ddol honno gerfydd ei choes yn awr wrth edrych i fyny ac i lawr y ffordd i chwilio am ryw gysur arall.

Yna gwelodd rywbeth tebyg i frân fawr yn dyfod wrth y capel. Gwnaeth y frân lwybr syth at Begw a dweud:

' 'R ydw i'n dengid go iawn y tro yma. 'R ydw i wedi dŵad i ben 'y nhennyn. Tyd, Begw, mi awn ni.'

Rhoes Begw luch i'r ddol dros ben gwal yr ardd, a neidiodd i law Winni Ffinni Hadog, a honno yn cymryd gafael lipa yn ei llaw, heb edrych arni nac edrych i unman ond ar y ddaear, gan gerdded fel petai ar grwsâd.

'Mae'r cythral gin Lisi Jên wedi mynd dros ben llestri, a 'nhad yn ddwl fel mul yn gwrando arni. Ond roth o ddim cweir i mi y tro yma. Mi'r oeddwn i trwy'r drws fel chwip. Dŵad rwbath.' Hyn heb symud ei phen.

' 'D oes gin i ddim byd i ddeud.'

'Dŵad fod Lisi Jên yn hen gnawes.'

'Mae Lisi Jên yn hen gnawes.'

'Dyna chdi. Mae clywed rhywun arall yn i ddeud o yn help.'

Dyma Guto Trwyn Smwt a Wil Coesau Bachog yn dyfod heibio i'r gornel.

'Winni Ffi-nni – Winni Ffi-nni,' canent mewn tôn hirllaes.

'Dos di yn dy flaen, yr hegla cam. Fuo 'nhad i 'rioed allan yn y nos yn dwyn tatws,' ebe Winni heb droi ei phen, ac yn yr un dôn â phetai hi'n ymholi ynghylch iechyd perchennog y coesau bachog.

Troes y ddwy i'r mynydd a cherdded tu ôl i'w gilydd fel dwy ddafad, a thu ôl ffrog gwmpasog Winni yn fflantio fel cynffon y creadur hwnnw. Yr oedd tawch y bore wedi cilio, ond arhosai peth edafedd y gwawn o hyd ar y brwyn yn y corneli. Yr oedd yr haul yn gynnes ar eu gwariau a thaflai ei oleuni i'r mân byllau yn y gors. Nid oedd digon o awel i ysgwyd plu'r gweunydd, ac yr oedd pob man yn ddistaw heb gymaint â sŵn llechen yn disgyn ar hyd tomen y chwarel. Prynhawn Sadwrn ydoedd.

'I ble'r ydach chi'n mynd, Winni?'

'I Lundain i weini.'

'Ond 'd oes gynnoch chi ddim bocs tun a dillad yno fo.'

'Hitia di befo, os disgynna i yn Llundain mi gymerith rhywun drugaredd arna i, 'd ydw i'n cael dim trugaredd gin neb yn fan 'ma.'

Lluchiai Winni'r geiriau hyn i'r tu ôl tuag at Begw,

heb droi ei phen o gwbl.

'Mi geith y Lisi Jên yna weld wedyn. Mi fydd yn rhaid iddi dynnu'r gwinedd o'r blew, ac nid diogi ac yfed te o flaen y tân trwy'r dydd.'

Distawodd ennyd, ac ail-ddechrau megis wrthi hi ei hun, rhwng ei dannedd.

'A mi gaiff Twm Ffinni Hadog weld hefyd, dyffeia i o, yn cymryd ochor Lisi Jên am bob dim, a fasa 'na ddim llun o swper chwarel iddo fo heblaw fi. Ond mae mei lord yn meddwl mai hi sy'n gneud pob dim.'

'Ydach chi'n gwybod y ffordd, Winni?'

'Be? Y ffordd i neud bwyd ?'

'Naci, y ffordd i Lundain.'

'Hitia di befo hynny rŵan. Mi fydd yn ddigon buan inni holi pan gyrhaeddwn ni'r ffordd bost.'

'Ond 't oes yma ddim ffordd bost yn fan 'ma.'

'Mi'r ydan ni'n siŵr o ffendio un. Mae yna ffordd bost ymhob man.'

'Ddim ar y mynydd.'

'Fyddwn ni ddim ar y mynydd trwy'r dydd. Mi ddown allan yn rhywle.'

'Fyddwn ni'n mynd heibio i Lyn Llyncwel?'

'Be wn i? Mi awn ni ar ôl ein trwynau 'r un fath â dafad. A phaid â siarad cimint. Mae gin ti lot i ddeud o d'oed. Mi fasa Lisi Jên wedi rhoi chwip dîn iti ers talwm am brepian.'

'Mae gin bawb hawl i siarad.'

'Ddim o flaen Lisi Jên. "Cau dy geg" ydi un o'i hadnodau hi.'

‘ ’D ydi honna ddim yn adnod.’

‘Paid â bod yn rhy siŵr rhag ofn iti ddŵad ar i thraws hi yn y Beibl. Mi rôi hynny bin yn dy swigen di.’

Ni wyddai Begw beth oedd ystyr hynny. Ond daethant at y gamfa a mynd drosti i’r mynydd-dir a chael cip ar gongl Llyn Llyncwel.

‘O, dacw fo,’ ebe Begw, a chlepian ei dwylo.

‘Be?’

‘Llyn Llyncwel.’

‘ ’R oeddat ti’n siarad fel tasat ti wedi cael sofran ar lawr.’

‘Mi faswn i’n licio i weld o i gyd.’

‘ ’D ydi o’n da i ddim i neb ond i fyddigions fynd arno fo yn ’u cychod i ddal pysgod. A weli di na finna byth gwch yn ein bywyd.’

‘Ond mae o’n glws.’

‘Mae Lisi Jên yn glws hefyd, ond ’d ydi hi’n da i ddim ond i chicio. ’R ydw i wedi blino. Mi orfeddwn ni yn fan ’ma.’

Yr oedd yn dda gan Begw gael gorffwys. Yr oedd coesau hirion Winni wedi symud dros dipyn o dir er pan gychwyn-asent. Edrychent i’r awyr las glir, Winni yn union syth. Yr oedd yr awyr las yn gwneud Begw yn benysgafn a chododd ar ei heistedd. Nid oedd dim ond y mynydd-dir llwyd o gwmpas, a gwal dyllog gam yn rhedeg ar hyd-ddo, ac ambell ddraenen rhyngddynt a’r mynydd a adawsent. Yr oedd y cwbl i Begw yr un fath â phetai rhywun wedi rhoi het las newydd sbon am ben Winni efo’i brat pyg a’i ffrog rinclyd. Edrychodd ar

Winni, ni symudasai ei phen er pan orweddasai ar y ddaear, dim ond edrych ar yr awyr. Yr oedd ei hwyneb yn llwyd, ond yr oedd ei gên gam yn benderfynol.

'Fyddi di yn gweddïo?' gofynnodd Winni heb symud ei phen.

'Bydda, mi fydda i yn dweud 'y mhader.'

'Nid gweddïo ydi hynny, ond deud adroddiad. Fyddi di yn gofyn i Iesu Grist am rwbath sydd arnat ti i eisio yn ofnadwy?'

'Bydda,' meddai Begw yn swil, 'ar ddiwedd 'y mhader.'

'Am be'?'

'Gofyn i Iesu Grist beidio â gadael i 'nhad gael i ladd yn y chwarel.'

'A mae dy weddi di wedi cael i hateb hyd yma.'

'Fyddwch chi yn gweddïo, Winni?'

'Ddim rŵan. Mi fuom ar un adeg, yn gweddïo fel diawl.'

Dychrynodd Begw, a gollwng 'O' ofnus allan.

'Am be wyt ti'n dychryn? Wyt titha yr un fath â hogan y pregethwr?'

'Nac ydw – ond –'

'Dyna fo, dim ods. Mi ofynnais i, a mi ofynnais i i Iesu Grist fendio mam, am fisoedd, ond wnaeth O ddim. A tendia di, ella y caiff dy dad ti i ladd yn y chwarel ryw ddiwrnod.'

Dechreuodd Begw grio yn ddistaw, ond nid oedd am i Winni weld hynny. Wedi'r cwbl, yr oedd Winni heb fam, ac nid oedd hi yn crio. Mentrodd ddweud:

'Ella'i bod hi'n well i lle, Winni.'

'Pwy glywis di yn deud hynna?'

'Mam.'

'Ia, yr hen gân. 'D oes gennyn nhw ddim byd arall i ddeud. Be ŵyr neb lle mae Mam. 'R oeddwn i yn i licio hi yn ofnadwy, a mi'r oedd hi'n deud pob dim wrtha i, ac yn fy nghadw fi'n lân, yn golchi fy mhen i bob nos Sadwrn, ac yn fy ngolchi fi trosta, a rhoi coban gynnes amdana i a nghario fi i ngwely, rhag imi oeri fy nhraed. A mi fyddwn i'n cael crys glân a thrywsus pais glân bob bore dydd Sul i fynd i'r capel, a phais ddafedd coch wedi 'i chrosio.'

'Pam na ddowch chi i'r capel rŵan, Winni?'

' 'R ydw i yn rhy flêr. 'D oes gin i ddim dillad o gwbl. A meddylia sut y basa dynes y pregethwr yn edrach arna 'i. Mi fasa'n mynd i mewn i'r harmoniam cyn y basa hi'n eistedd wrth f' ochor, ac yn snwffian dros y capel.'

Dechreuodd lafar-ganu:

> 'Gosod seti i bobol fawr,
> Gadael tlodion ar y llawr'.

'Be mae hwnna yn i feddwl?'

' 'Dwn i yn y byd. Paid â holi. Dim ond bod pobl y capel yn trin y tlodion fel tasan nhw yn faw.'

' 'T ydyn nhw ddim yn ein trin ni felly.'

'Wel, nac ydyn, siŵr Dduw. Un o'r bobol fawr wyt ti.'

'Naci wir. 'D oes gennon ni ddim pres.'

'Wel, mi'r ydach chi'n dwt ac yn lân ac yn barchus, a 'd oes yna fawr o wahaniaeth rhwng hynny a bod yn bobol fawr. Pobl fudr ydi teulu Twm Ffinni Hadog. Wyddost ti be oedd achos yr helynt bore heddiw?'

'Na wn i.'

'Mae Sionyn, y peth bach, yn cysgu efo fi, a mae o'n gwlychu'r gwely, mwya cwilydd i fam o na basa hi yn i ddysgu o. A 'd ydi Lisi Jên byth yn meddwl golchi dillad y gwely nes bydd ogla sur wedi mynd arnyn nhw. A mi ddeudis i y bore 'ma y baswn i yn i golchi nhw. Mi fedra i olchi yn iawn, a mi fedra i wasgu yn dynn. Sbïa ar fy mreichiau i.'

'A chawsoch chi ddim gneud?'

'Ddim gneud, wir! Yn lle cael gneud – a hitha yn fora mor braf, meddylia fel y basan nhw yn switio yn yr haul – dyma fi'n cael tafod a fy rhegi, a chael fy ngalw yn un o'r bobol fawr. Meddylia, *fi* yn un o'r bobol fawr.'

Chwarddodd dros y wlad.

'Y fi a dynas y pregethwr efo'n gilydd! A gwraig y stiward! A ledi wên deg !'

'Pwy ydi honno?'

'Wyddost ti'r wraig weddw yna na ŵyr neb o ble mae hi'n dŵad, y hi na'i harian. Mae'i cheg hi'n rhy wastad i siarad.'

'Mi'r ydach chi'n gwybod mwy am bobol y capel na fi, Winni.'

'Dyna chdi'n prepian eto. Nid yn y capel yr wyt ti'n dŵad i nabod pobol.'

' 'D awn ni byth i Lundain fel hyn, Winni, wrth sôn am bobl y capel.'

Cododd Winni ar ei heistedd a synfyfyrio.

'Nac awn.'

'Fasa dim gwell inni fynd yn ôl.'

'At Twm Ffinni Hadog a Lisi Jên i wraig! Dim ffiars.'

'Ond mi'r oeddach chi'n canmol ych tad gynna.'

'Wrth bwy?'

'Wrth yr hogia yna. Mi ddaru i chi ddeud nad oedd ych tad ddim yn mynd allan i ddwyn tatws.'

'Yr het wirion! Deud yr oeddwn i fod tad y llall yn mynd. Mae yna betha gwaeth na dwyn tatws. Dew, mi fuo 'nhad yn frwnt wrth Mam. Yn deud hen betha ffiaidd yn cyrraedd 'dat yr asgwrn, a hithau yn deud dim. Mi faswn i'n licio 'i glywed o'n dechrau ar i stranciau efo Lisi Jên. Mi fasa'r procar yn i ben o mewn eiliad. Ond Mam oedd yn wirion, wrth gwrs.'

Cododd y ddwy ac ail-ddechrau cerdded. Cychwynnodd Winni yn ôl ar hyd yr un ffordd ag y daethent.

'Nid fforna mae Llundain,' ebe Begw.

' 'D oes arna i ddim eisio mynd i Lundain,' ebe Winni, a dechrau beichio crio, 'mae arna i eisio mynd yn ôl at Sionyn. Be wneith o hebdda i? A mi fydd yna un arall ato fo yn o fuan.'

Llygadrythodd Begw. Nid oedd yn bosibl deall neb. Dyma Winni wedi ei hudo hi i fanma, ac yn troi fel cwpan mewn dŵr. Sychodd Winni ei dagrau efo'i brat, ac yr oedd dwy res fudr ar ei harlais.

'A phaid ti â holi dim chwaneg,' meddai hi yn sych. 'R wyt ti yn rhy ifanc i wybod pethau fel yna.'

Tro Begw oedd bod yn styfnig yn awr.

‘ ’Rydw i’n mynd,’ meddai, ‘rhaid i mi gael gweld y llyn yna i gyd.’

A throes ar ei sawdl. Edrychodd Winni yn wirion ac ar ei chyfyng gyngor. Ond dilynodd Begw o lech i lwyn, a’i dal ymhen sbel. Daethant i olwg lawn o’r llyn, a Begw wedi ei chyfareddu. Disgleiriai’r haul ar ei donnau mân a gwneud iddynt gwafrio, ac ni allai dynnu ei llygaid oddi arno.

‘Dyna fo, ’r wyt ti wedi edrach digon arno fo rŵan. ’D ei di byth yn gyfoethog wrth synfyfyrio.’

Troes Begw o’r diwedd, ac yn sydyn gwaeddodd:

‘Dyna hi.’

‘Beth eto?’

‘Y lôn bost.’

‘ ’D ydi lôn bost yn dda i ddim i mi bellach. Unwaith y doi di o hyd i rwbath mi ’rwyt ti yn syrffedu arno fo.’

‘Ches i ddim amser i syrffedu ar y llyn.’

Ni ddywedodd Winni ddim, ond yr oedd y ddwy yn falch o weld y lôn bost er na wyddent ar y ddaear i ba le yr âi. Lwc iddynt hwy oedd fod Griffith Jones, y Tŷ Llwyd, yn cychwyn adref o’r efail y munud hwnnw.

‘Hei,’ meddai, ‘i ble’r ydach chi’n mynd fforma?’

‘Wyddom ni ar y ddaear,’ ebe Begw, ‘ar goll yr ydan ni, Winni wedi cychwyn i Lundain.’

‘Peidiwch â gwrando arni, Griffith Jones,’ ebe Winni reit barchus, ‘Mynd am dro wnaethom ni i weld Llyn Llyncwel, a cholli’r ffordd.’

Yr oedd Begw yn ddigon hen i wybod mai gorau daero fuasai hi efo Winni.

'Neidiwch i mewn i'r drol,' ebe Griffith Jones, a chwip ar y ceffyl.

Yr oedd Robin newydd gyrraedd y tŷ gyda'i fwyar duon pan gyraeddasant, a'r mwstwr wedi dechrau codi ynghylch Begw wrth weld nad oedd gyda'i brawd. Dywedai Winni yn bendant nad oedd am fynd adre am y gwyddai beth a'i harhosai. Ni fu'n rhaid i neb bendroni uwchben y broblem honno'n hir, oblegid daeth Twm Ffinni Hadog ei hun at y drws, a'i olwg yn ddigon i ddychryn y cryfaf. Nid oedd wedi torri ei farf ers wythnos, ac ni welsai ei wallt grib ers dyddiau. Nid oedd coler am ei wddw, na chap am ei ben.

'Tyd o'na 'r –' oedd ei eiriau cyntaf. Ond cyn iddo orffen ei frawddeg yr oedd tad Begw wedi torri ar ei draws.

'Dim o dy regfeydd di yn y fan 'ma, Twm.'

'Mi lladda i hi, gna –'

'Na wnei, wnei di ddim.'

'Dowch i'r tŷ er mwyn inni gael ych gweld chi'n iawn, Tomos,' ebe'r fam.

Ac fe ufuddhaodd fel oen. A dyma mam Begw yn dechrau dangos ei bod yn feistres ar bawb. Gwnaeth bryd o fwyd iddynt, a gwneud i Twm a'i ferch eistedd wrth ochrau'i gilydd rhag iddynt orfod edrych ar ei gilydd. Ni ddywedodd neb air yn ystod y pryd bwyd, dim ond bod y fam yn cynio arnynt fwyta, a phawb yn ufuddhau, heb edrych fel pe baent yn ei fwynhau.

'Rŵan,' meddai hi yn dra awdurdodol, 'ewch chi adre, Tomos, i oeri tipyn ar eich tempar.'

Dechreuodd Winni weiddi, ‘ ’D ydw i ddim am fynd efo fo, ’d ydw i ddim am fynd adre.’

Ac yr oedd golwg arni fel anifail wedi ei ddal ar ôl ei goethi drwy’r dydd gan gŵn.

‘Rhoswch imi orffen, Winni,’ ebe’r fam. ‘Mi gewch chi aros yma heno, mi wna i wely ar y soffa i chi, ac ella y medrwn ni wneud rhywbeth i chi gael lle bach go handi i weini tua’r dre’ yma.’

‘Ond mi fydd ar Lisi Jên eisio mwy o’i help hi nag erioed rŵan.’

‘Mae Lisi Jên yn ddigon ’tebol i weithio, Tomos, ac os na ddigwydd rhywbeth i symud Winni o’cw, mi fyddwch wedi’i lladd hi.’

‘Ond mae hi’i hun mor ffond o Sionyn.’

‘Mi geith weld Sionyn bob wsnos os eith hi i’r dre’ i weini.’

Aeth Twm allan fel y daeth i mewn, heb ddangos unrhyw arwydd o dymer, a’i grib wedi ei dorri gan wraig rhywun arall.

Dieithrio

'Cadw dy draed yn llonydd, Begw. 'Ddaw Winni ddim cynt wrth iti ysgwyd dy draed.'

'Ydach chi'n meddwl *y* daw hi, Mam?'

' 'D wn i ddim, mi eill ddŵad ac mi eill beidio.'

Dyna hi eto, nid oedd cadarnhad i'w gael gan neb i'w hamheuon. Ateb dwl oedd ateb ei mam, dweud geiriau er mwyn dweud rhywbeth a'r rhywbeth hwnnw'n ddim. Nid oedd yn bosibl mynd allan i weld a oedd Winni'n dŵad, oherwydd y glaw smwc a'r niwl topyn hyd at y drws. Ofer oedd edrych drwy'r ffenestr.

'Y syndod i mi ydy,' meddai'r fam wedyn, 'i bod hi wedi aros wsnos gyfa yn 'i lle cynta. Mi fasan' wedi clywed rhywbeth petai hi wedi rhedeg adref.'

Buasai'n wythnos wag i Begw wedi i Winni fynd i'r dref i weini a hithau wedi cael ei chwmpeini bob nos am rai wythnosau pan ddeuai yno i wneud ei dillad yn barod. Sut yr oedd tad Winni a'i llysfam wedi gadael i'w mam hi drefnu pob dim ar gyfer y newid ni allai meddwl plentynnaidd Begw ddirnad. Yr oedd ei mam wedi bod yn hollol ddigywilydd, debygai hi, yn cymryd meddiant o Winni, gwneud ei dillad a phob dim, a hyd yn oed gael hyd i focs tun i roi'r dillad ynddo. Ie, ac wedi cael y lle a mynd i siarad at y feistres drosti.

Buasai'r ychydig wythnosau diwethaf yma i Begw fel byw mewn gwlad hud. Yr oedd y cistiau yn y siamberi wedi eu troi tu chwyneb allan, a'u cynnwys wedi eu dymchwelyd ar yr aelwyd, er mwyn cael defnyddiau dillad i Winni. Yr oedd y dillad fel trysorau lliwgar o wlad bell ac aroglau gwlad arall arnynt, lafant hen. Cêp sidan ddu a les drosti, wedi ei thrimio efo mwclis bychain, a leinin o sidan coch iddi. Gwastraff ym meddwl Begw oedd gwisgo'r du at allan a'r coch tu mewn. Ond dyna fo, yr oedd pobl ers talwm mor rhyfedd yn gwneud pob dim tu chwithig allan. A'r sgert sidan ddu honno wedyn efo rhesi gwyrdd, sidan caled yn sio; pethau crand nad oeddynt yn dda i ddim i Winni. Ond mi gafodd ei mam afael ar hen gôt ddu dri-chwarter a choler gyrlin cloth arni, a dyma hi'n dechrau ei datod a dweud y gwnâi gôt iawn i Winni at ei godre. Erbyn meddwl, ni welsai Begw erioed Winni yn gwisgo côt. Daeth ar draws hen sgert frethyn lwyd a llathenni o gwmpas ynddi, a gwnaeth ffrog iddi o honno. Prynodd galico grôt y llath i wneud crysau iddi, a thrywsusau pais efo gwlanenéd bron cyn rhated. Yr oedd y peiriant gwnio bach yn mynd fel Robin Gyrrwr bob nos wedi i'r plant fynd i'w gwelyau, a Begw yn cael aros ar ei thraed yn hwyr i helpu smalio drwy estyn a chyrraedd i'w mam a rhoi edau yn y nodwydd.

Ond y mwyniant mawr oedd fod ei mam wedi dweud y dylai Winni ei hun wnio'r les ar y crysau a gwnio botymau ar y pethau eraill, ac mai'r unig ffordd iddi wneud hynny'n lân oedd iddi ddŵad i lawr i'w tŷ hwy, a golchi ei dwylo yn gyntaf peth. Tynnai Elin Gruffydd wallt Winni at ei gilydd efo gwiallen wallt, er mwyn iddi weld ei gwaith, ac i Begw ymddangosai Winni fel petai eisoes wedi dechrau codi ei gwallt a mynd yn ddynes. Ni allai dynnu ei llygaid oddi arni, yr oedd ei hwyneb mor wahanol, ac ochr ei boch o dan ei chlust mor ddel ac mor esmwyth. Yr oedd golwg mor ddifrifol arni wrth ddal i wnio, bwyth ar ôl pwyth, heb ddweud dim. Ond efallai na fedrai Winni siarad a gwnio yr un pryd, dim ond ei mam a welsai hi yn gwneud dau waith ar unwaith.

Wedi i Winni fynd adref bob nos, dywedai ei mam fod Winni wedi 'sobreiddio drwyddi'. Yr oedd Begw wrth ei bodd clywed y geiriau 'sobreiddio drwyddi', yr oeddynt fel sŵn lot o farblis mewn wyrpaig, ond rhywsut nid oedd yn hoffi gweld Winni ei hun wedi sobreiddio. Yr oedd yn well ganddi hi ei chlywed yn areithio yn erbyn ei thad a Lisi Jên. Ond yr oedd ei mam wedi dweud nad oedd am gynnwys Winni i siarad am Lisi Jên, yn enwedig gan fod peth arall wedi codi, ac nid oedd Elin Gruffydd am ryfygu tynnu gwg Twm, meddai hi. Yr oedd yn rhaid i'r hogan gael ffrogiau cotyn rhesi glas a gwyn, at y boreau yn ei lle newydd, a barclodiau gwynion at y prynhawn, ac ni allai hi fforddio prynu'r rheini, yr oedd yn ddigon parod i wneud ffrogiau.

Daeth yr ymwared mewn ffordd annealladwy i Begw, ond hollol ddealladwy i'w thad a'i mam. Dechreuodd ei gyd-chwarelwyr bryfocio Twm yn y chwarel, ei fod yn rhy grintachlyd i brynu dillad i'w ferch i'w chychwyn i weini. Fe'i trawyd yn ei fan gwan, a buan yr oedd y defnydd yn nhŷ Elin Gruffydd.

Rhyw noson pan oedd popeth yn barod, sylweddolodd Elin Gruffydd nad oedd gan Winni ddim i'w roi am ei phen, ond cofiodd iddi weled tomi-sianter llwyd a choch yn Siop yr Haul am hanner coron, a nos drannoeth yr oedd hwnnw am ben Winni, a swper i ddathlu'r gorffen cyn cychwyn adref. Yr oedd Elin Gruffydd yn fodlon ar ei gwaith, a dywedai nad oedd Winni yn cychwyn i weini yn hollol fel petai mewn mowrnin, diolch i'r tomi-sianter.

Ac wedyn, bore Sadwrn wythnos yn ôl, galwasai yno ar ei ffordd at y frêc a'i thad efo hi, ac i Begw yr oedd Winni fel geneth ddieithr nas adwaenai, yr un fath â genod eraill yr ardal, ei llygaid fel penwaig ar ôl crio. Yr oedd golwg mor ofnadwy ar ei llygaid rhwng chwydd a chochni fel yr ofnai Begw i weddill ei chorff droi yn un deigryn mawr. Yr oedd gwacter mawr yn ei bywyd wedi iddi fynd, a theimlai, ar ôl yr wythnosau o gwmpeini Winni, fel petai hi wedi mynd allan yn ei ffrog a'i brat heb ei chôt ym mis Mawrth.

'Mae hi'n hir iawn,' meddai Begw, gan godi ei thraed a'u rhoi ar ben y soffa, lle y buasai'n eistedd ers meityn mewn stad o wewyr disgwyl.

'Ella'i bod hi'n cael aros tan y frêc ddwaetha.'

'Ella na chafodd hi ddim dŵad o gwbl, ne' alla'i bod hi wedi dengid i Lundain.'

' 'D ei di i nunlle heb arian.'

'Ne ella'i bod hi wedi mynd yn wraig fawr ac na ddaw hi ddim yma i ofyn sut yr ydan ni.'

'Anodd gin i gredu hynny mewn cyn lleied o amser.'

'Mi'r oedd hi'n edrach fel ledi yn 't oedd, Mam?'

'Wir, 'r oedd hi reit ddel, ond mi fydd yn rhaid iddi

gael ffrog newydd mewn dim.'

'Mi geith arian i brynu rhai rŵan.'

'Ella, os na cheith 'i thad hi afael arnyn' nhw.'

'Tybed wneith hi ateb i mistras yn ôl?'

'Mi fydd yn demtasiwn fawr i Winni, achos ar ateb i gilydd yn ôl y maen' nhw wedi byw yn 'i chartre hi.'

Ar hynny dyna sŵn traed ar y cowrt a chnoc ysgafn ar y drws, a thraed a choesau Begw yn troi mewn hanner cylch cyn dyfod ar y llawr. Daeth Winni i mewn gan wenu a llanwyd y gegin o aroglau hyfryd.

'Mae gynnoch chi ryw oglau da iawn, Winni,' oedd cyfarchiad Elin Gruffydd, er mwyn cuddio'r chwithig-rwydd, a rhag sylwi ar yr ôl crio ar Winni – crio glân y tro hwn.

'Meistres roth sent ar fy hances boced i,' meddai hithau, 'ac ylwch, mae hi wedi rhoi ruban coch imi glymu fy ngwallt i fynd efo fy nghap i, a mi ges i swllt gin Mistar i dalu fy mrêc.'

'Da iawn. Ydach chi'n meddwl y liciwch chi'ch lle?'

'Gna, am wn i, cystal ag y licia i unman. Mi fuo bron i mi â marw gin hiraeth yr wsnos yma. 'R oedd o yn fy mygu fi wrth fynd i 'ngwely.'

' 'R un fath mae pawb, Winni, mae o'r un fath â thorri ceffyl, rhaid peidio â rhoi i mewn.'

'Hiraeth am Sionyn oedd arna i,' meddai gan ddechrau snwffian.

'Oedd o'n falch o'ch gweld chi?' gofynnodd Begw.

'Mi'r oedd o'n swil i gychwyn, yn cuddio'i wyneb ym marclod i fam, ond mi fynnodd gael i de ar fy nglin i.'

Siriolodd eiliad a dechrau chwerthin.

'Mae gin i newydd ichi. 'R oedd Lisi Jên wedi llnau'r tŷ i gyd, ac mi 'r oedd Sionyn wedi cael ffrog a brat glân.'

'Chwarae teg iddi,' ebe Elin Gruffydd.

'Ydach chi'n gweld, Elin Gruffydd, 'r ydw i'n credu bod arni wenwyn i mi wsnos i heddiw, wrth fy ngweld i mor ddel yn cychwyn, 'r oedd hi wedi meddwl na fedrwn i byth edrach ond fel rhyw ffydleman ar hyd fy oes.'

'Wel, os ydy gwenwyn yn mynd i wneud iddi hi ymbincio, yna mae o'n beth da. Ella y bydd o'n help iddi hitha sefyll ar ei sodla'i hun hefyd. Job reit galed i bawb.'

'Ia wir, ond mi 'r ydw i'n cael digon o waith yn fan'cw, a mae'r hogyn bach yn beth reit hoffus. "Robert" ydy'i enw fo, "Robert" mae'n nhw'n i ddeud, nid "Robat".'

'Tipyn o steil 'ddyliwn.'

'O, oes, mae acw ddigon o hwnnw. Ond hen le rhyfedd ydy'r dre. Sŵn rhyw hen drol lo a chloch wrthi, a thraed y ceffylau yn mynd lincyn-loncyn drwy'r dydd ar gerrig y stryd, a pheth reit ddigri ydy bod yn y selar, a gweld traed pobol yn mynd wrth ych pen chi. Mi faswn i'n rhoi'r byd am glywed iâr yn clocian weithiau.'

'Mae yna ddigon yn y farchnad, Winni.'

'Oes, o rai marw a rhai ar fin marw. Iâr fyw ar ganol cae ydw i'n feddwl. Wel, rhaid imi 'i throi hi. Mae hi'n braf arnoch chi yn cael eistedd wrth y tân braf yna,' meddai Winni gan ochneidio a chodi.

'Cofiwch chi, Winni, am dreio peidio ag ateb eich

mistras yn ôl,' ebe Elin Gruffydd.

'Mi dreia' fy ngora. Ond mi fydd reit anodd gwneud hynny ar hyd y beit, os byddwch chi'n meddwl mai chi sy'n iawn ac nid y hi. Pam mae'n rhaid i rywun ddal i dafod?'

'Am fod arian yn fistar, Winni, dyna pam, a chin y bobol ag arian mae modd i gadw morynion. Mi fedran' ych rhoi chi ar y clwt mewn munud.'

'Medran, ond y morynion â thafod sy'n medru gwneud mwya o waith hefyd yn amal.'

Ni allai Elin Gruffydd ateb hynny.

'Ia, ond mae'n anodd gwybod be sy'n iawn a be sy ddim,' ebe John Gruffydd, a ddaethai i mewn o'r beudy yn ystod y sgwrs.

'Ddim mor anodd ym myd mistras a morwyn, ond mae o'n gwestiwn iawn i chi'r dynion 'i drin yn yr Ysgol Sul,' meddai ei wraig.

' 'R ydw i'n cael mynd i'r Capel nos Sul nesa,' ebe Winni, 'y fi oedd yn gwarchod nos Sul dwaetha.'

'Mi ddo'i i'ch danfon chi at y frêc,' ebe John Gruffydd. 'Mae hi'n dechra twllu ac mae'n anodd gweld yn yr hen law smwc yma.'

'Oedd arnat ti ddim eisio mynd i ddanfon Winni?' meddai ei fam wrth Begw wedi iddynt fynd.

'Dim llawer o daro,' meddai hithau'n bur ddifywyd.

'Pam? Be sy'?'

'Nid yr un Winni ydy hi.'

Cododd y fam ei phen oddi ar y tatws a bliciai at y Sul.

'Ia, siŵr iawn, yr un un ydy hi, mae hi'n reit debyg i'w mam i hun.'

'Mi 'r oedd yn well gin i hi fel yr oedd hi o'r blaen – yn giari-dym.'

'Besdad i'r hogan, a ninna wedi bod am wsnosa yn treio cael dillad ffit iddi fynd i fysg pobol, a'r oeddwn i'n meddwl i bod hi'n edrach yn ddel heno.'

'Oedd, ond nid Winni oedd hi. Chawn ni byth hwyl efo hi eto.'

'Cawn, siŵr iawn, wedi iddi hi ddŵad i gynefino yn y dre'.'

'I'r mynydd mae Winni yn perthyn.'

'Lol i gyd, a phaid ti â threio stwffio hynna i phen hi, ne mi fydd yn i hôl fel bwled. Rhaid iddi feddwl am i byw, fel y bu raid i bawb ohonom ni, ac fel y bydd yn rhaid i titha ryw ddiwrnod. Fel yna mae'r byd yn mynd yn 'i flaen.'

'I be mae eisio iddo fo fynd yn 'i flaen? Waeth iddo fo fod fel y mae o ddim.'

'A phawb yn dlawd? Ac yn byta bwyd rhywun arall hyd y mynydd yma.'

'Byta bwyd rhywun arall y mae Winni heno.'

'Ia, ond mae gynni hi hawl i hwnnw.'

'Mi ddalia i am bennog fod Winni yn licio bod yn giari-dym yn well na bod yn ledi.'

'Ydi, ella rŵan, ond fydd hi ddim ryw ddiwrnod.'

'Biti, yntê, Mam?'

'Biti be'?'

'Piti bod yn rhaid ein newid ni.'

'Paid â phendroni, 'd oes yna ddim byd yn bod yn y byd yma ond newid.'

Ond pendroni y bu Begw, meddwl am Winni yn y selar a'r coesau uwch ei phen, meddwl am ei hiraeth ar ôl Sionyn, meddwl am Winni yn mynd i'r capel yfory i ganol pobl fawr y dre', yn gorfod dal ei thafod a bod yn neis. Meddwl am Winni wedi sobreiddio drwyddi. Na, wir, mi ddangosodd unwaith heno nad oedd wedi gorffen sobreiddio, wrth sôn am ateb ei meistres yn ôl. Mi 'r oedd yno lwchyn o'r hen Winni yno.

A daeth rhyw gryndod trosti wrth feddwl na châi weld Winni ddim ond ar ambell brynhawn Sadwrn eto, ac os âi hi i ffwrdd ymhellach na châi hi byth ei gweld, a hithau wedi ei hoffi gymaint. A beth ddywedodd ei mam hefyd? Y byddai'n rhaid iddi hithau sefyll ar ei sodlau ei hun ryw ddiwrnod. Teimlai'n oer ac yn unig a symudodd ei chadair at ymyl ei mam i swatio wrth y tân.

Nadolig y Cerdyn

'Dal dy draed yn llonydd, a phaid â gwingo.'

Rhoes Rhys un naid arall, a chlep ar ei ddwylo. Prin y cyrhaeddai ei ên at y bwrdd, a gosodasai hi ar ei ymyl, fel ci yn cardota am damaid. Pefriai'r haul o'i lygad ar ôl y gawod fawr o law dagrau funud yn gynt. Begw yn unig a oedd i fynd â phethau at y Nadolig i'r hen Nanw Siôn ar ben y Mynydd Grug. Ond yr oedd Rhys wedi crio a nadu fel hen ful y Siop ers talwm, meddai ei fam, fel y bu'n rhaid iddi ildio, a gadael iddo fynd. Gwneud peth hollol wirion, ym marn Begw naw oed, gadael i hogyn bach chwech oed fynd i ochr y Mynydd Grug drwy ganol yr eira, yn lle gadael iddi hi ei hun fynd, a bod yn wron heb gymar fel mewn stori. Gwep sur iawn a edrychai ar y fam yn lapio'r pethau i Nanw Siôn. Yr oedd bywyd yn frwnt iawn wrth blentyn. Cardiau Nadolig yn dŵad bob blwyddyn a llun hogan bach mewn bonet a mantell yn mynd ei hun drwy ganol yr eira a neb ar ei chyfyl. Ac ni bu erioed Nadolig fel yna iddi hi ers pan gofiai, dim ond hen Nadolig budr o law smwc a llaid a thywyllu yn y prynhawn. Ond eleni, dyma Nadolig yr un fath â'r cerdyn (nid oedd yn debyg y gwnâi ddadmer cyn drannoeth) a dyma'i brawd, wrth strancio, wedi ennill y dydd ar ei fam, ac wedi difetha ei rhamant hi. Ond wrth weld gên Rhys ar y bwrdd a chochni ei drwyn a'i lygaid, toddodd ei chalon dipyn.

'Cofiwch chi ddeud wrth Nanw Siôn am ferwi'r pwdin yn y clwt fel y mae o am ddwy awr, a deudwch wrthi am gadw'r cyflath yn y tun fel y mae o, rhag iddo fo doddi. Dyma damaid o fara brith iddi hi hefyd, printan bach o fenyn a rhyw asen bach o borc. Deudwch wrthi na fydd o ddim gwerth iddi dwymo'r popty i wneud hon. Perwch iddi ei rhoi ar y badell ffrïo.'

'Ydi Nanw Siôn yn dlawd iawn?' oddi wrth Rhys.

'Mae hi reit dop arni hi, ac mae hi'n byw mewn lle oer iawn.'

'Mi faswn i yn licio byw mewn lle oer.'

' 'D wyt ti ddim yn byw mewn popty rŵan,' meddai Begw.

Ategai trwyn rhedegog Rhys hynny.

'A dyma i chi jou o gyflath bob un, i oelio clicied eich gên.'

Agorodd y ddau eu cegau fel dau gyw 'deryn, ac yr oedd y jou yn pincio allan yn eu bochau cyn pen eiliad, a'u bochgernau yn brifo wrth ei droi.

'Dyna chi rŵan, a deudwch fy mod i'n gofyn amdani, ac y bydda' i yn ei disgwyl i lawr wedi i'r iäeth yma fynd trosodd.'

Yr oedd Rhys ar fin gafael yn y fasged pan gafodd Begw y blaen arno, ond ni faliai Rhys am y tro, gan iddo gael un fuddugoliaeth yn barod.

'Ga' i ddeud wrth Nanw Siôn mai fi sy'n rhoi'r cyflath?' i weld a gâi un fuddugoliaeth arall ar ei chwaer.

'Cei.'

Ni chododd Begw at yr abwyd i gael buddugoliaeth arall. Digon iddi hi fod y fasged yn ddiogel ganddi.

Cychwynnodd y ddau wedi eu lapio hyd at eu

trwynau fel rowlyn powlyn, clocsiau am eu traed a chrafat mawr wedi ei rwymo am eu pennau. Yr oedd yr eira yn llwythi ar hyd ochr y ffordd, a'r llwybr troed yn y canol yn sgleinio'n galed ar ôl y troliau. Yr oedd ôl traed yn mynd ac ôl traed yn dŵad, ac ôl blaen esgid yn sathru ar sawdl esgid. Llwybrau bach yn mynd at y tai a mynyddoedd o eira o boptu iddynt. Peth digrif i'r plant oedd clywed lleisiau'n siarad heb glywed sŵn traed yn cerdded. Yr oedd fel coeden heb wraidd. Casglai'r eira yn hafnau pedolau eu clocsiau, a theimlai Rhys fel petai ar 'bandy legs' yn sefyll wrth ben pawb. Rhoesant gic i'w traed yn y wal wrth droi at lwybr y mynydd, ac aeth poen poeth drwy eu traed i'w pennau.

'O,' meddai Rhys gan wneud sŵn crio.

'Twt,' meddai Begw, 'dim ond hynna bach. Aros nes byddi di yn nhŷ Nanw Siôn.'

Ond nid oedd llwybr y mynydd yno, dim ond daear wastad ddi-dolc. Dim ôl dafad na merlen, dim twll nyth cornchwiglen, nac ôl carnau buwch, dim ond gwastadedd llyfn, a blaen ambell gawnen grin o frwyn yn taflu allan drwyddo.

Daeth ebwch o wynt main, a lluwchio'r eira i gorneli yng nghlawdd igam ogam y mynydd, lle'r oedd tomen serth o eira yn barod, ac yntau cyn llithro a gorffwys ar y domen yn troi fel cyrlen o wallt gwyn. Nid oedd golwg o'r ffrwd, ond gwyddai'r ddau blentyn ei bod yno, a chaead caerog o wahanol wynderau o rew ar ei hwyneb.

'Mae afon bach y Foty wedi marw,' meddai Begw. 'Clyw, 'd oes yna ddim sŵn.'

Ond yr oedd twll bach yn y rhew yn uwch i fyny, a mynnodd Rhys gael symud ei grafat a rhoi ei glust arno.

'Na, mae 'i chalon hi'n curo'n ddistaw bach,' meddai, gan feddwl cryn dipyn ohono'i hun am allu myned i fyd Begw.

'Yli,' meddai, 'dacw fo.'

'Be?'

'Tŷ Nanw Sion.'

A dyna lle'r oedd ei thŷ yn swatio dan gysgod twmpath a'r Mynydd Grug y tu ôl iddo, fel blawd gwyn wedi ei dywallt yn grwn o bowlen fawr.

Ond yr oedd yr eira yn ddyfnach ac yn fwy llithrig, a chaent drafferth i sefyll ar eu traed, Rhys erbyn hyn yn gafael yn dynn yn llaw rydd Begw. Erbyn iddynt gyrraedd llidiart tŷ Nanw Siôn yr oedd yr eira wedi myned i mewn i'w clocsiau, a theimlai Rhys fod ganddo gant o lo yn hongian wrth bob esgid. Rhaid oedd curo'r bacsiau eira oddi tan y gwadnau eto a dioddef y gweyll poeth yn mynd trwy'r traed.

Cnoc bach gan bob un ar y drws.

'Pwy sy 'na?'

'Y ni.'

'Dowch i mewn.'

'Be' ar wyneb y ddaear a'ch gyrrodd chi i fan'ma ar y fath dywydd?'

'Mam.'

'Ydan ni'n licio dŵad trwy'r eira.'

'Mi 'r ydach chi'n licio peth gwirion iawn. Jêl ydi eira.

'Mi ddaru mi grio i gael dŵad.'

‘A ’r oedd arna i eisio dŵad fy hun.’

‘Lwc garw fod gen ti gwmpeini. Be’ tasat ti’n syrthio a thorri dy goes. Ond i be’ dw’ i’n siarad? Tynnwch am eich traed, a thynnwch y crafatiau yna.’

Yr oedd gan Nanw Siôn dân coch heb fod yn rhy fawr yn y grât, a phentwr o dywyrch uwch ei ben yn ymestyn i dwll y simnai. Tynnodd un ohonynt i lawr yn nes i’r tân, a dyma’r tân yn ateb drwy estyn ei dafod allan i’w chyfeiriad. Dechreuodd gynnau yn araf.

‘Steddwch ar y setl yna a rhowch eich traed ar y stôl yma. Maen’ nhw’n wlyb doman.’

Yr oedd yn dda gan y ddau gael swatio cyn nesed ag y medrent i’r tân. Ond deuai gwynt o bobman. I lawr o’r simnai a chodi’r sach blawd ar yr aelwyd, o dan y drws allan, o dan ddrws y gilan. Yr oedd dannedd y ddau yn clecian, a theimlent y crafat ar eu pennau er nad oedd yno. Ond toc dechreuodd y dywarchen fflamio o ddifrif, a symudodd Nanw Siôn rai eraill yn nes ati, a rhoes un clap o lo yn llygad y tân. Deuai aroglau potes o sosban ddu ar y pentan. Aeth Nanw i nôl tair powlen a’u rhoi ar y bwrdd bach crwn gwyn, torri tipyn o fara iddynt, a chodi’r potes efo cwpan i’r powliau.

‘Rŵan, bytwch lond ych boliau. Mi cynhesith hwn chi’n well o lawar na rhyw slot o de.’

Ac felly yr oedd. Fesul tipyn deuai’r gwres yn ôl i’w traed a’u dwylo a’u clustiau. Rhoes Nanw Siôn y procer o dan y dywarchen a ffrwydrodd gwreichion allan ohoni, a’r tân coch yn dringo’n araf drosti. Yr oedd fflam bach ar y lamp a throdd Nanw hi i fyny. Rhwng y tân a’r golau yr oedd golwg gysurus ar bethau, a dechreuodd y ddau blentyn bendympian. Ond yr oedd trwyn Nanw Siôn yn rhedeg, a hithau yn ei sychu efo hances boced wedi ei gwneud o fag blawd a gadwai rhwng llinyn ei barclod a'i gwasg. Yr oedd ganddi siôl frethyn dros ei hysgwyddau wedi ei chau efo pin ddwbl gref. Daeth distawrwydd dros y gegin, ac yn ei ganol clywid y gath yn canu'r grwndi, y cloc yn tipian, y ddau blentyn yn chwyrnu cysgu, Nanw Siôn yn anadlu'n wichlyd fel megin, ac ambell glec o'r tân. Deffrôdd Rhys.

'Oes gynnoch chi dop?' meddai wrth yr hen wraig.

'Top, be' 'na i efo top, yn eno'r annwl?'

'Mam oedd yn deud i bod hi'n dop iawn arnoch chi.' Pwniad iddo yn ei asennau gan Begw.

'Ydi, mae hi, mae hi reit anodd byw, ond fel 'na gwelis i hi 'rioed. Waeth faint geith rhywun, fedr neb roi cwlwm ar y ddau ben llinyn.'

'Mae Mam wedi rhoi tipyn bach o bethau i chi at y 'Dolig,' meddai Begw.

'A fi sy'n rhoi'r cyflath,' meddai Rhys.

'Mae'n debyg dy fod ti wedi rhoi tro neu ddau ar y llwy,' meddai Nanw Siôn.

Datbaciwyd y fasged, a Nanw Sion yn dweud, 'Wel O!' am bob dim a dynnai allan. 'Y gryduras ffeind.'

'Mi 'r ydan ni'n mynd i gael Nadolig hen ffasiwn.'

Edrychodd Nanw Siôn ar Rhys fel petai cyrn ar ei ben.

'Pwy oedd yn deud?'

'Begw.'

'Be ŵyr hi am Nadolig hen ffasiwn?'

'Wel, ydach chi'n gweld, Nanw Siôn, 'r ydw i yn cael cardiau bob Nadolig a llun eira a chelyn arnyn nhw, a hogan bach yn mynd trwy'r eira mewn bonet a chêp.'

'A mi'r wyt ti'n meddwl mai chdi ydi honno?'

'Wel, 't ydan ni 'rioed wedi cael eira ar y Nadolig o'r blaen.'

'Ches inna' ddim chwaith. Celwydd bob gair ydi'r Nadolig hen ffasiwn.'

Aeth y ddau blentyn i'r potiau yn arw.

'Pam maen' nhw 'n deud hynny ar y cardiau ynta?'

'Mi ddysgi di ryw ddiwrnod mai'r bobl sy'n deud mwya' o glwydda' sy'n gwneud i ffortiwn gynta'.

Ni fedrai Begw ddweud gair. Yr oedd wedi cael ei thwyllo ar hyd yr amser. Wedi gweld rhyw fyd rhamantus ymhell yn ôl lle'r oedd plant bach yn cael Nadolig gwyn bob blwyddyn. Mentrodd toc.

'Wel, mae 'u celwydd nhw wedi dŵad yn wir y tro yma beth bynnag, ac ella mai rŵan 'r ydan ni'n dechra cael Nadolig hen ffasiwn.'

'Paid â mwydro dy ben, blentyn. Fel'na mae pobol yn mynd i'r Seilam.'

Yr oedd Rhys ar goll yn lân, a meddai:

'Waeth befo hen gardia Nadolig, hen betha gwirion ydyn' nhw. Well gen i eira go iawn.'

'A mi 'r wyt ti wedi 'i gael o rŵan, 'y machgen i. Tasat ti yn f' oed i yn byw ar ben y mynydd fasa arnat ti ddim o'i eisio fo. Llyffethair ydi eira. Dyma fi yn fan 'ma ddim yn medru symud cam, a fedra 'i ddim dŵad i lawr acw

’fory i gael cinio efo chi fel arfar.’

Yr oedd Rhys bron â chrio.

‘Treiwch ddŵad,’ meddai.

‘Treio, treio, hen wraig o f’oed i. Be taswn i’n torri ’nghoes wrth syrthio? Na, mi fydd yn rhaid imi fod yn fan’ma efo’r llygod a’r pryfaid cop.’

‘A’r gath,’ meddai Begw yn greulon.

Ffyrnigodd llygaid Nanw Siôn.

‘Wyddoch chi bedi unigrwydd? Byw heb neb i ddeud gair caredig na chreulon wrthach chi. Byw efo meddyliau, dyna bedi “hel meddylia”. Dynas fel fi sy’n hel meddylia, am na fedr cath na llygod mo’ch ateb chi–.’

‘Pam na brynwch chi boli parrot?’ gofynnai Begw.

‘Mi ro i ti boli parrot, y gnawas bach breplyd! Biti na fasa Rhys wedi aros gartra, er mwyn iti fynd drwy’r eira yma dy hun, iti gael gweld bedi unigrwydd.’

‘Mi faswn i wrth fy modd.’

‘Basat, reit siŵr, mi fasat wrth dy fodd petasa’r Diafol yn dy gipio di ar i gyrn, a d’ ollwng di i lawr twll y chwaral yna.’

Chwarddodd Begw a chrynodd Rhys. Yr oedd arno eisiau dengid. Ond yr oedd yng nghrafangau araith Nanw Siôn.

‘A mi ’r ydw’ i’n deud wrthach chi nad oes arna i ddim eisio i’r gath ddal y llygod. Maen’ nhw’n gwmpeini i mi. Ac mae’r gath yn cysgu yn y siambar er mwyn i mi glywed rhwbath yn anadlu. A mi ’r ydw i’n licio clwad tician pry cop, er mai arwydd anga ydi o. Ond ddoth anga ddim hyd i mi eto.’

Dechreuodd Rhys grio. Yr oedd yn edifar gan ei galon ddyfod. Dyma hunllef a'i ddau lygad yn agored. Ond lliniarodd Nanw Siôn.

'Taw, 'machgen i, mi eith y 'Dolig heibio fel pob dim arall. 'D ydi amsar diodda nag amsar petha braf ddim yn para'n hir. Mi ga' i ddŵad i lawr eto am sgwrs at dy fam ac i droi handlan y corddwr. Dy fam ydi'r ddynas ffeindia yn y byd. 'D wn i ddim i bwy ma'r hogan yma'n perthyn. Cofiwch ddiolch yn arw iddi am yr holl betha yma.'

Erbyn iddynt fyned allan yr oedd y lleuad wedi codi, ac edrychai'r wlad fel petai rhywun wedi rhoi lliain mawr gwyn te parti drosti i gyd. Teimlai Rhys yn druenus wrth feddwl am Nanw Siôn yn treulio'r Nadolig yn y fan honno ar ei phen ei hun, ac erbyn hyn teimlai Begw nad oedd Nadolig gwyn yn fawr o beth wedi'r cwbl. Yr oedd o'n llai rhamantus o lawer na phan gychwynnodd oddi cartref. Yr oedd Nanw Siôn wedi rhoi pin yn y swigen am y Nadolig hen ffasiwn, a theimlai mai wedi rhoi pin yn ei chelwydd hi yr oedd ac nid yng nghelwydd llunwyr y rhamant. Y hi a gafodd y pigiad.

Yr oedd y gwynt i'w hwynebau erbyn hyn, a'i fin yn gwneud pob tamaid ohonynt yn ddideimlad. Closiodd Rhys at ei chwaer a rhoi ei fraich ddiffrwyth trwy ei braich hi. Edrychent fel dau smotyn bach ar yr ehangder unig, a'u cysgod yn ymestyn yn hir wrth eu hochr. Ni welsant y smotyn arall ar ben y llwybr, nes dyfod ato, a chlywed llais eu mam yn dweud o'r distawrwydd:

'Mi fuoch yn hir iawn.'

'Nanw Siôn oedd yn ddigalon.'

'Pam?'

'Am fod yn rhaid iddi fod ar ben ei hun yfory.'

'Ond mae hi am dreio dŵad i lawr,' meddai Rhys.

'Paid â deud celwydd,' meddai Begw. 'Y chdi ddeudodd wrthi am dreio.'

Ac yr oedd hi mor falch o gael rhoi pigiad i rywun arall am ddweud celwydd. Ond nid oedd ddim gwahaniaeth gan Rhys. Eisiau mynd adref i ddadmer a mynd i'w wely oedd arno ef.